O Que a Bíblia Realmente Ensina?

ESTE LIVRO PERTENCE A

Crédito das fotos: ■ Páginas 24-25: foto de Edouard Boubat, OMS
■ Páginas 88-89: explosão: baseado em foto da USAF;
criança: baseado em foto de W. Cutting, OMS

EDITORAS
Watchtower Bible and Tract Society of New York, Inc.
Brooklyn, New York, U.S.A.
Associação Torre de Vigia de Bíblias e Tratados
Cesário Lange, São Paulo, Brasil

Edição de junho de 2015

Esta publicação não é vendida. Ela faz parte de uma obra educativa bíblica, mundial, mantida por donativos.

A menos que haja outra indicação, os textos bíblicos citados são da *Tradução do Novo Mundo da Bíblia Sagrada.*

What Does the Bible Really Teach?
Portuguese (Brazilian Edition) (*bh*-T)
ISBN 85-7392-082-3

Made in the United States of America
Impresso nos Estados Unidos da América

SUMÁRIO

CAPÍTULO PÁGINA

Será que era isso o que Deus queria?

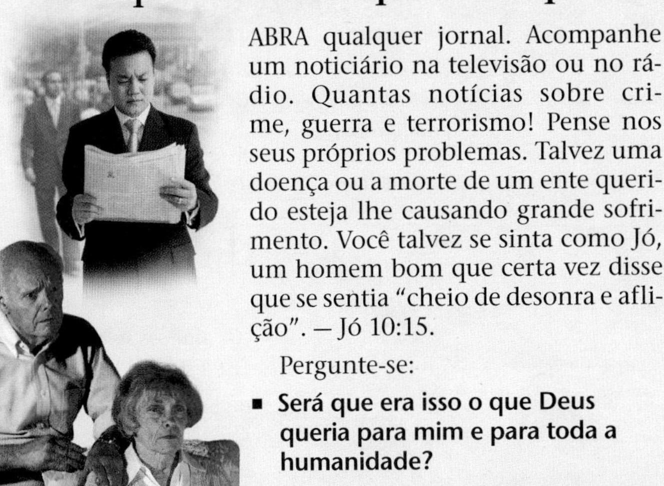

ABRA qualquer jornal. Acompanhe um noticiário na televisão ou no rádio. Quantas notícias sobre crime, guerra e terrorismo! Pense nos seus próprios problemas. Talvez uma doença ou a morte de um ente querido esteja lhe causando grande sofrimento. Você talvez se sinta como Jó, um homem bom que certa vez disse que se sentia "cheio de desonra e aflição". — Jó 10:15.

Pergunte-se:

- **Será que era isso o que Deus queria para mim e para toda a humanidade?**
- **Onde posso encontrar ajuda para lidar com meus problemas?**
- **Há esperança de que um dia teremos paz na Terra?**

A Bíblia dá respostas satisfatórias a essas perguntas.

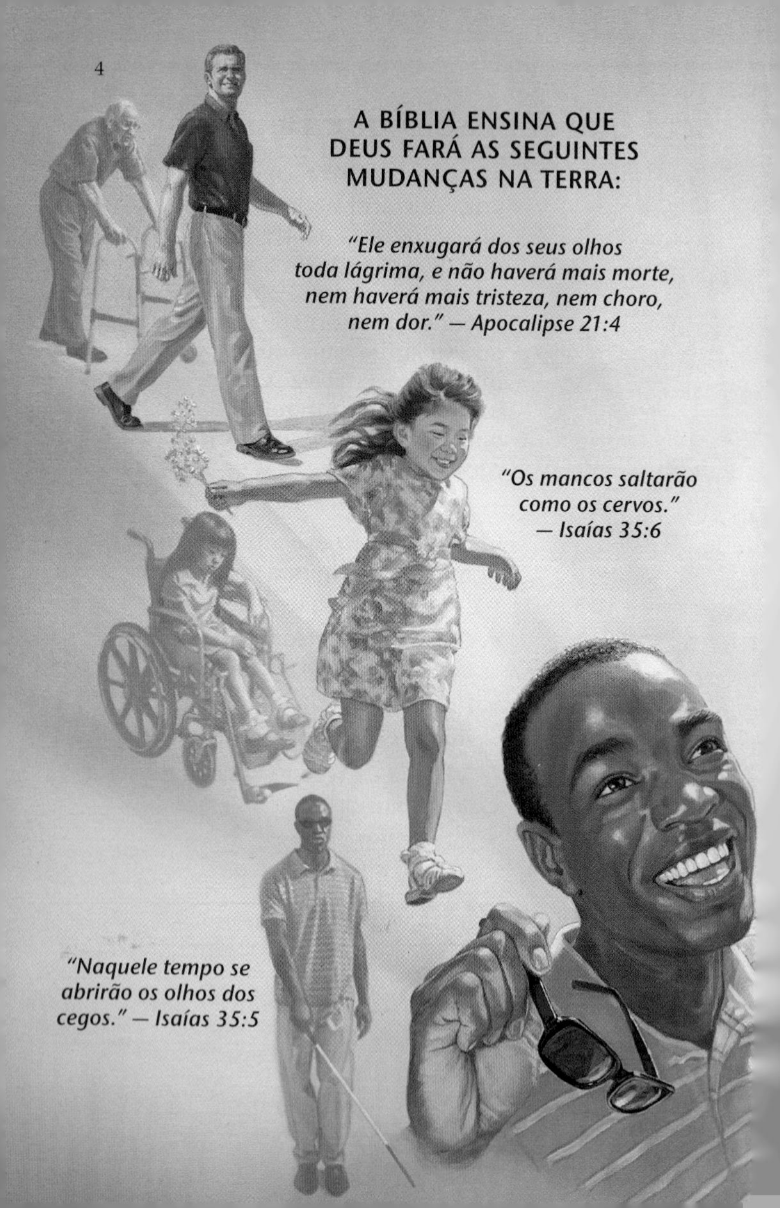

A BÍBLIA ENSINA QUE DEUS FARÁ AS SEGUINTES MUDANÇAS NA TERRA:

“Ele enxugará dos seus olhos toda lágrima, e não haverá mais morte, nem haverá mais tristeza, nem choro, nem dor.” — Apocalipse 21:4

“Os mancos saltarão como os cervos.” — Isaías 35:6

“Naquele tempo se abrirão os olhos dos cegos.” — Isaías 35:5

“Todos os que estão nos
túmulos memoriais . . .
sairão.” — João 5:28, 29
“Nenhum habitante
dirá: ‘Estou doente.’ ”
— Isaías 33:24
“Haverá fartura de cereal na
terra.” — Salmo 72:16

BENEFICIE-SE DO QUE A BÍBLIA ENSINA

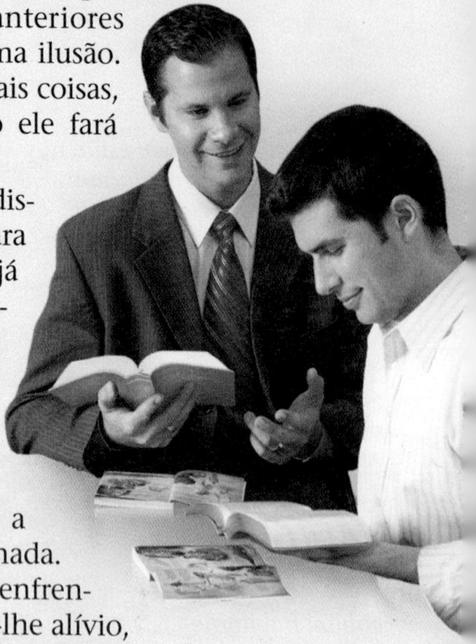

Não descarte logo o que foi apresentado nas páginas anteriores como se fosse apenas uma ilusão. Deus prometeu realizar tais coisas, e a Bíblia explica como ele fará isso.

Mas a Bíblia vai além disso. Ela fornece a chave para que você tenha desde já uma vida realmente gratificante. Pense um pouco em suas próprias ansiedades e problemas. Talvez envolvam questões financeiras, problemas familiares, doença ou a morte de uma pessoa amada. A Bíblia pode ajudá-lo a enfrentar os problemas e trazer-lhe alívio, respondendo a perguntas como estas:

- *Por que sofremos?*
- *Como lidar com as ansiedades da vida?*
- *Como podemos tornar mais feliz a vida em família?*
- *Existe vida após a morte?*
- *Será que um dia veremos de novo nossos parentes e amigos que já morreram?*
- *Como podemos ter certeza de que Deus cumprirá suas promessas?*

O fato de estar lendo este livro mostra que você quer saber o que a Bíblia ensina. O livro vai ajudá-lo. Note que, ao pé da página, há perguntas relacionadas aos parágrafos. Milhões de pessoas que estudam a Bíblia com as Testemunhas de Jeová gostam do método de perguntas e respostas. Esperamos que você também goste e que receba as bênçãos de Deus à medida que sentir a emoção e a alegria de aprender o que a Bíblia *realmente* ensina!

COMO MANUSEAR A BÍBLIA

A BÍBLIA compõe-se de 66 livros e cartas. Eles são divididos em capítulos e versículos, para pronta consulta. Nos textos citados nesta publicação, o primeiro número após o nome do livro ou da carta da Bíblia indica o capítulo, e o número seguinte, o versículo. Por exemplo, a citação "2 Timóteo 3:16" se refere à segunda carta a Timóteo, capítulo 3, versículo 16.

Você aprenderá rapidamente a manusear a Bíblia procurando os textos citados nesta publicação. E que tal iniciar um programa de leitura diária da Bíblia? Lendo de três a cinco capítulos por dia, poderá ler a Bíblia inteira em um ano.

CAPÍTULO UM

Qual é a verdade sobre Deus?

Será que Deus realmente se importa com você?
Como ele é? Ele tem nome?
É possível achegar-se a Deus?

JÁ OBSERVOU como as crianças gostam de fazer perguntas? Muitas começam a fazer perguntas assim que aprendem a falar. Com olhos bem abertos e aguardando uma resposta, elas olham para você e perguntam coisas como: por que o céu é azul? De que são feitas as estrelas? Quem ensinou os passarinhos a cantar? Você talvez se esforce em responder, mas isso nem sempre é fácil. Por melhor que seja a sua resposta, ela talvez resulte numa outra pergunta: por quê?

[2] Mas não são só as crianças que fazem perguntas. À medida que crescemos, continuamos a fazer perguntas. Fazemos isso para achar o nosso rumo na vida, para saber os perigos que temos de evitar ou para satisfazer a nossa curiosidade. Mas parece que muitos desistem de fazer perguntas, em especial as mais importantes. Ou pelo menos desistem de procurar as respostas.

1, 2. Por que muitas vezes é bom fazer perguntas?

[3] Veja a pergunta na capa deste livro ou as perguntas no prefácio ou aquelas no início deste capítulo. São algumas das perguntas mais importantes que existem. Mas muitas pessoas desistiram de procurar as respostas. Por quê? Será que a Bíblia tem as respostas? Alguns acham que as respostas da Bíblia são muito difíceis de entender. Outros têm receio de que fazer perguntas possa causar vergonha ou embaraço. E alguns decidem que é melhor deixar que os líderes e instrutores religiosos respondam a essas perguntas. E você?

[4] É bem provável que você deseje obter respostas às grandes perguntas da vida. Sem dúvida, às vezes se pergunta: 'Qual é o objetivo da vida? É esta vida tudo o que existe? Como é Deus, realmente?' É bom fazer perguntas assim, e é importante não desistir até encontrar respostas satisfatórias e confiáveis. O famoso instrutor Jesus Cristo disse: "Persistam em pedir, e lhes será dado; persistam em buscar, e acharão; persistam em bater, e lhes será aberto." — Mateus 7:7.

[5] Se você 'persistir' em buscar respostas às perguntas importantes, verá que essa busca pode ser muito recompensadora. (Provérbios 2:1-5) Independentemente do que outros talvez lhe tenham dito, as respostas *existem,* e você *poderá* encontrá-las — na Bíblia. As respostas não são muito difíceis. Melhor ainda, elas dão esperança e alegria. E podem ajudá-lo a ter uma vida satisfatória já agora. Para começar, vejamos uma pergunta que tem intrigado muitas pessoas.

SERÁ QUE DEUS É INDIFERENTE E INSENSÍVEL?

[6] Muitos acham que a resposta a essa pergunta é Sim. 'Se Deus se importasse', pensam eles, 'será que este mundo não

---

3. Por que muitos desistem de procurar respostas a perguntas de grande importância?
4, 5. Quais são algumas das perguntas mais importantes na vida, e por que devemos buscar as respostas?
6. Por que muitos acham que Deus não se importa com o sofrimento humano?

seria um lugar bem diferente?' Vemos ao nosso redor um mundo cheio de guerras, ódio e sofrimento. E todos nós estamos sujeitos a adoecer, sofrer e perder pessoas amadas. Assim, muitos perguntam: 'Se Deus se importasse conosco e com os nossos problemas, não impediria que tais coisas acontecessem?'

7 Pior ainda, instrutores religiosos às vezes levam as pessoas a pensar que Deus é insensível. Como assim? Em casos de tragédia, por exemplo, eles dizem que essa é a vontade de Deus. Na realidade, esses instrutores culpam a Deus pelas coisas ruins que acontecem. É essa a verdade a respeito de Deus? O que a Bíblia realmente ensina? Tiago 1:13 responde: "Quando estiver sob provação, que ninguém diga: 'Estou sendo provado por Deus.' Pois, com coisas más, Deus não pode ser provado, nem prova a ninguém." Portanto, Deus *jamais* é o causador da perversidade que vemos no mundo ao nosso redor. **(Leia Jó 34:10-12.)** Ele permite que certas coisas ruins aconteçam, é verdade. Mas existe uma enorme diferença entre *permitir* que algo aconteça e *causar* isso.

8 Por exemplo, pense no caso de um pai sábio e amoroso que tenha um filho adulto que ainda mora com os pais. Se esse filho se torna rebelde e decide sair de casa, o pai não o impede de fazer isso. Se ele escolhe um mau caminho na vida e se mete em dificuldades, será que o pai é o *causador* dos problemas do filho? Não. (Lucas 15:11-13) Da mesma forma, Deus não impediu os humanos de seguirem o mau caminho que escolheram, mas ele não é o *causador* dos problemas que resultaram disso. Certamente, pois, seria injusto culpar a Deus por todos os problemas da humanidade.

---

7. (a) De que modo alguns instrutores religiosos levam muitos a crer que Deus é insensível? (b) O que a Bíblia realmente ensina a respeito dos sofrimentos que talvez tenhamos de suportar?
8, 9. (a) Como se pode ilustrar a diferença entre permitir a perversidade e causá-la? (b) Por que seria injusto condenarmos a decisão de Deus de permitir que a humanidade seguisse o mau caminho?

[9] Deus tinha bons motivos para permitir que a humanidade seguisse um mau caminho. Como Criador sábio e poderoso, ele não é obrigado a nos explicar os motivos. Por amor, no entanto, Deus faz isso. Você saberá mais sobre esses motivos no Capítulo 11 deste livro. Mas esteja certo de que Deus não é responsável pelos problemas que enfrentamos. Ao contrário, ele nos dá a única esperança de uma solução! — Isaías 33:2.

[10] Além do mais, Deus é santo. (Isaías 6:3) Isso significa que ele é puro e limpo. Não há vestígio de maldade nele. Portanto, podemos confiar nele plenamente. Não se pode dizer o mesmo a respeito dos seres humanos, que em muitos casos se tornam corruptos. Até mesmo a mais honesta autoridade humana, em geral, não tem o poder de corrigir o mal causado por pessoas ruins. Mas Deus é todo-poderoso. Ele pode, e vai, desfazer todos os males que a perversidade tem causado às pessoas. Quando Deus agir, ele fará isso de um modo que acabará para sempre com toda a maldade! — **Leia Salmo 37:9-11.**

COMO DEUS ENCARA AS INJUSTIÇAS QUE SOFREMOS?

[11] Enquanto isso, como Deus encara o que acontece no mundo e na nossa vida? Bem, a Bíblia ensina que Deus "ama a justiça". (Salmo 37:28) Assim, ele não é indiferente quanto ao que é certo e o que é errado. Ele odeia todo tipo de injustiça. A Bíblia diz que o coração de Deus "se entristeceu" quando, numa certa época do passado, a maldade tomou conta do mundo. (Gênesis 6:5, 6) Deus não mudou. (Malaquias 3:6) Ele ainda odeia ver o sofrimento que há no mundo inteiro. Odeia também ver as pessoas sofrer. 'Ele cuida de nós', diz a Bíblia. — **Leia 1 Pedro 5:7.**

---

10. Por que podemos confiar que Deus vai desfazer todos os males causados pela perversidade?
11. (a) Como Deus encara a injustiça? (b) Como Deus se sente a respeito de nosso sofrimento?

[12] Como podemos ter certeza de que Deus odeia ver o sofrimento? Veja mais uma prova. A Bíblia ensina que o homem foi feito à imagem de Deus. (Gênesis 1:26) De modo que nós temos boas qualidades porque Deus as tem. Por exemplo, você se aflige com o sofrimento de pessoas inocentes? Se você se importa com essas injustiças, esteja certo de que Deus se importa muito mais.

[13] Uma das melhores coisas a respeito dos seres humanos é a capacidade de amar. Isso é também um reflexo de Deus. A Bíblia ensina que "Deus é amor". (1 João 4:8) Nós amamos porque Deus ama. Será que o amor moveria você a acabar com o sofrimento e as injustiças no mundo? Se tivesse o poder para fazer isso, você o faria? Certamente que sim! Você pode ter certeza de que Deus da mesma forma acabará com o sofrimento e as injustiças. As promessas mencionadas no prefácio deste livro não são meros sonhos ou esperanças vazias. As promessas de Deus se cumprirão com certeza! Mas, para ter fé nessas promessas, você precisa saber mais a respeito do Deus que fez tais promessas.

Se deseja que alguém o conheça, você não lhe diz qual é o seu nome? Deus nos revela seu nome na Bíblia

DEUS DESEJA QUE VOCÊ O CONHEÇA

[14] O que você faria se desejasse que alguém o conhecesse? Não lhe diria

---

12, 13. (a) Por que temos boas qualidades, como o amor, e de que forma o amor influi no modo como encaramos o que acontece no mundo? (b) Por que se pode ter certeza de que Deus realmente vai agir para solucionar os problemas do mundo?
14. Qual é o nome de Deus, e por que devemos usá-lo?

A Bíblia ensina que Jeová é o amoroso Criador do Universo

seu nome? Será que Deus tem nome? Muitas religiões dizem que seu nome é "Deus" ou "Senhor", mas esses não são nomes. São títulos, assim como "rei" e "presidente" são títulos. A Bíblia ensina que Deus tem muitos títulos. "Deus" e "Senhor" são apenas dois deles. No entanto, a Bíblia ensina também que Deus tem um nome: Jeová. O Salmo 83:18 diz: "Tu, cujo nome é Jeová, somente tu és o Altíssimo sobre toda a terra." Se na sua Bíblia não aparece esse nome, talvez queira consultar o Apêndice nas páginas 195-197 deste livro, para saber a razão disso. A verdade é que o nome de Deus aparece milhares de vezes nos manuscritos bíblicos antigos. Portanto, Jeová deseja que você saiba qual é o nome dele e que o use. Em certo sentido, Deus usa a Bíblia para se apresentar a você.

[15] Deus deu a si mesmo um nome cheio de significado. Seu nome, Jeová, significa que ele pode cumprir qualquer promessa que fizer e realizar qualquer propósito que tenha em mente.* O nome de Deus é sem igual, exclusivo. Pertence apenas a ele. De muitas maneiras, Jeová é sem igual. Como assim?

---

* Mais informações sobre o significado e a pronúncia do nome de Deus se encontram no Apêndice nas páginas 195-197.

---

15. O que significa o nome Jeová?

O amor que um bom pai tem pelos filhos reflete o amor ainda maior que o nosso Pai celestial tem por nós

[16] Vimos que o Salmo 83:18 diz a respeito de Jeová: "*Somente* tu és o Altíssimo." De modo similar, só Jeová é chamado de "Todo-Poderoso". Apocalipse 15:3 diz: "Grandes e maravilhosas são as tuas obras, Jeová Deus, o Todo-Poderoso. Justos e verdadeiros são os teus caminhos, Rei da eternidade." O título "Todo-Poderoso" nos ensina que Jeová é o ser mais poderoso que existe. Seu poder é inigualável; é supremo. E o título "Rei da eternidade" nos faz lembrar que Jeová é sem igual em ainda outro sentido. Ele é o único que sempre existiu. O Salmo 90:2 diz: "De eternidade a eternidade, tu és Deus." Essa ideia é realmente espantosa, não acha?

[17] Jeová é também sem igual no sentido de que só ele é o Criador. Apocalipse 4:11 declara: "Digno és, Jeová, nosso Deus, de receber a glória, a honra e o poder, porque criaste todas as coisas, e por tua vontade elas vieram à existência e foram criadas." Tudo o que você possa imaginar — as invisíveis criaturas espirituais no céu, as estrelas que brilham no firmamento, as frutas que crescem nas árvores, os peixes que nadam nos oceanos e nos rios —, tudo, enfim, existe porque Jeová é o Criador!

É POSSÍVEL ACHEGAR-SE A JEOVÁ?

[18] Ler a respeito das espantosas qualidades de Jeová faz com que alguns se sintam um tanto apreensivos. Temem que Deus seja elevado demais para eles, que jamais poderiam se achegar a ele ou até mesmo ser notados por um Deus tão grandioso. Mas é correta essa ideia? A Bíblia ensina justamente o contrário. Ela diz a respeito de Jeová: 'Ele não está longe de cada um de nós.' (Atos 17:27) Ela até mesmo

---

16, 17. O que os seguintes títulos nos ensinam a respeito de Jeová: (a) "Todo-Poderoso"? (b) "Rei da eternidade"? (c) "Criador"?
18. Por que alguns acham que jamais poderiam se achegar a Deus, mas o que a Bíblia ensina sobre isso?

nos aconselha: "Acheguem-se a Deus, e ele se achegará a vocês." — Tiago 4:8.

[19] Como você pode se achegar a Deus? Em primeiro lugar, continue a fazer o que está fazendo agora — aprendendo a respeito de Deus. Jesus disse: "Isto significa vida eterna: que conheçam a ti, o único Deus verdadeiro, e àquele que tu enviaste, Jesus Cristo." (João 17:3) Realmente, a Bíblia ensina que aprender a respeito de Jeová e de Jesus conduz à "vida eterna"! Conforme já mencionado, "Deus é amor". (1 João 4:16) Além disso, Jeová tem muitas outras qualidades belas e atraentes. Por exemplo, a Bíblia diz que Jeová é um "Deus misericordioso e compassivo, paciente e cheio de amor leal e de verdade". (Êxodo 34:6) Ele é 'bom e está sempre pronto a perdoar'. (Salmo 86:5) Deus é paciente. (2 Pedro 3:9) É leal. (Apocalipse 15:4) À medida que você for lendo a Bíblia, verá como Jeová tem demonstrado ter essas e muitas outras qualidades atraentes.

[20] É verdade que não podemos ver a Deus, pois ele é um espírito invisível. (João 1:18; 4:24; 1 Timóteo 1:17) Por aprender a respeito dele por meio das páginas da Bíblia, porém, você poderá conhecê-lo como Pessoa. Como disse o salmista, poderá "contemplar a bondade de Jeová". (Salmo 27:4; Romanos 1:20) Quanto mais aprender sobre ele, tanto mais real se tornará para você, e mais razões terá para amá-lo e sentir-se achegado a ele.

[21] Você entenderá por que a Bíblia nos ensina a encarar Jeová como Pai. (Mateus 6:9) Ele tanto nos deu a vida como deseja que tenhamos a melhor vida possível — o que qualquer pai amoroso desejaria para seus filhos. (Salmo 36:9)

---

19. (a) Como podemos começar a nos achegar a Deus, e com que benefícios? (b) Quais as qualidades de Deus que você acha mais atraentes?
20-22. (a) Será que o fato de não podermos ver a Deus nos impede de nos achegar a ele? Explique. (b) O que talvez algumas pessoas bem-intencionadas o pressionem a fazer, mas o que você deve fazer?

A Bíblia ensina também que os humanos podem se tornar amigos de Jeová. (Tiago 2:23) Imagine — tornar-se amigo do Criador do Universo!

22 À medida que você aprender mais sobre a Bíblia, talvez descubra que algumas pessoas bem-intencionadas o pressionarão a parar de estudá-la. Talvez temam que você mude suas crenças. Mas não permita que ninguém o impeça de cultivar a melhor amizade que se pode ter.

23 Naturalmente, haverá coisas que, de início, você não vai entender muito bem. Pode ser um pouco embaraçoso pedir ajuda, mas não permita que o constrangimento o impeça de fazer isso. Jesus disse que é bom ser humilde, como uma criança. (Mateus 18:2-4) E as crianças, como sabemos, fazem muitas perguntas. Deus deseja que você encontre as respostas. A Bíblia elogia certo grupo de pessoas que estavam ansiosas para aprender sobre Deus. Elas examinavam as Escrituras a fim de terem certeza de que aquilo que aprendiam era a verdade. — **Leia Atos 17:11.**

24 O melhor modo de aprender sobre Jeová é por examinar a Bíblia. Ela é diferente de qualquer outro livro. Em que sentido? O próximo capítulo considerará esse assunto.

23, 24. (a) Por que é bom que você continue a fazer perguntas a respeito do que aprende? (b) Qual é o assunto do próximo capítulo?

O QUE A BÍBLIA ENSINA

- Deus se importa com você. — 1 Pedro 5:7.
- O nome de Deus é Jeová. — Salmo 83:18.
- Jeová convida você a achegar-se a ele. — Tiago 4:8.
- Jeová é amoroso e misericordioso. — Êxodo 34:6; 1 João 4:8, 16.

CAPÍTULO DOIS

A Bíblia — um livro de Deus

Por que a Bíblia é diferente de qualquer outro livro?

Como a Bíblia pode ajudá-lo a enfrentar seus problemas?

Por que se pode confiar nas profecias da Bíblia?

LEMBRA-SE de uma ocasião em que você recebeu um belo presente de um grande amigo? É provável que isso tenha sido não só emocionante, mas também animador. Afinal, um presente revela algo a respeito de quem o dá — que a pessoa valoriza sua amizade. Sem dúvida, você agradeceu o amável presente de seu amigo.

2 A Bíblia é um presente de Deus, pelo qual podemos ser muito gratos. Esse livro sem igual revela coisas que, de outra maneira, jamais saberíamos. Por exemplo, fala da criação do céu estrelado, da Terra e do primeiro homem e da primeira mulher. A Bíblia contém princípios confiáveis para nos ajudar a enfrentar os problemas e as ansiedades da vida. Ela explica como Deus cumprirá seu propósito e melhorará as condições na Terra. Que presente emocionante é a Bíblia!

3 A Bíblia é também um presente que nos anima, pois revela algo sobre quem o deu — Jeová. O fato de Deus ter

---

1, 2. Por que razões a Bíblia é um emocionante presente de Deus?
3. O fato de Jeová nos ter dado a Bíblia revela o que a respeito dele, e por que isso é animador?

A "Tradução do Novo Mundo da Bíblia Sagrada" está disponível em muitas línguas

fornecido esse livro prova que ele deseja que o conheçamos bem. Sem dúvida, a Bíblia pode ajudá-lo a achegar-se a Jeová.

[4] Se você tiver uma Bíblia, com certeza não é o único. Inteira ou em parte, a Bíblia já foi publicada em cerca de 2.600 línguas e está disponível para mais de 90% da população mundial. Em média, mais de 1 milhão de Bíblias são distribuídas *por semana!* Já foram produzidos bilhões de cópias da Bíblia inteira ou de partes dela. Certamente, não existe livro que se compare com a Bíblia.

[5] Além disso, a Bíblia é "inspirada por Deus". **(Leia 2 Timóteo 3:16.)** Em que sentido? A própria Bíblia responde: "Homens falaram da parte de Deus conforme eram movidos por espírito santo." (2 Pedro 1:21) Para ilustrar: um empresário talvez peça à secretária que escreva uma carta. A carta contém as ideias e as instruções do empresário. Assim, a carta na realidade é *dele,* não da secretária. Do mesmo modo, a Bíblia contém a mensagem de Deus, não dos

---

4. O que o impressiona a respeito da distribuição da Bíblia?
5. Em que sentido a Bíblia é "inspirada por Deus"?

homens que a escreveram. Portanto, a Bíblia inteira é realmente "a palavra de Deus". — 1 Tessalonicenses 2:13.

HARMONIOSA E EXATA

6 A Bíblia foi escrita num período de mais de 1.600 anos. Seus escritores viveram em épocas diferentes e procediam de muitas rodas da vida. Alguns eram agricultores, pescadores ou pastores. Outros eram profetas, juízes ou reis. O escritor do Evangelho de Lucas era médico. Apesar das diferentes formações de seus escritores, a Bíblia é harmoniosa do começo ao fim.*

7 O primeiro livro da Bíblia nos diz como surgiram os problemas da humanidade. O último livro revela que a Terra inteira se tornará um paraíso, ou jardim. O conteúdo da Bíblia abrange milhares de anos de História e todas as partes têm algo a ver com a realização do propósito de Deus. A harmonia da Bíblia é impressionante, mas isso é o que se esperaria de um livro de Deus.

8 A Bíblia é cientificamente exata. Ela contém até mesmo informações que estavam muito à frente de seu tempo. Por exemplo, o livro de Levítico contém leis sobre quarentena e higiene dadas ao Israel antigo numa época em que as nações vizinhas nada sabiam a respeito desses assuntos. Num tempo em que havia ideias erradas sobre o formato da Terra, a Bíblia referia-se a ela como círculo, ou esfera. (Isaías 40:22) A Bíblia dizia com precisão que a Terra está suspensa "sobre o nada". (Jó 26:7) Evidentemente, a Bíblia não é um livro de ciências. Mas, quando se trata de assuntos científi-

---

* Embora alguns digam que certas partes da Bíblia se contradizem, essas afirmações não têm base. Veja o capítulo 7 do livro *A Bíblia — Palavra de Deus ou de Homem?*, publicado pelas Testemunhas de Jeová.

6, 7. Por que é especialmente notável a harmonia do conteúdo da Bíblia?
8. Cite exemplos da exatidão científica da Bíblia.

cos, ela é exata. Não é isso o que esperaríamos de um livro de Deus?

9 A Bíblia é também historicamente exata e confiável. Seus relatos são específicos. Em muitos casos, incluem não só o nome da pessoa, mas também os de seus antepassados.* Em contraste com os historiadores seculares, que em geral não mencionam as derrotas de seu próprio povo, os escritores bíblicos foram francos, registrando até mesmo suas próprias falhas e as de sua nação. No livro bíblico de Números, por exemplo, o escritor Moisés admitiu seu próprio erro grave, pelo qual foi severamente repreendido. (Números 20:2-12) Essa franqueza é rara em outros relatos históricos, mas está presente na Bíblia porque é um livro de Deus.

UM LIVRO DE SABEDORIA PRÁTICA

10 Visto que a Bíblia é inspirada por Deus, ela é "proveitosa para ensinar, para repreender, para endireitar as coisas". (2 Timóteo 3:16) De fato, a Bíblia é um livro prático. Revela um conhecimento profundo da natureza humana. Isso não é de admirar, pois seu Autor, Jeová Deus, é o Criador! Ele entende nossos pensamentos e emoções melhor do que nós mesmos. Além disso, Jeová sabe do que precisamos para ser felizes. Ele sabe também que comportamentos devemos evitar.

11 Considere o discurso de Jesus chamado Sermão do Monte, registrado em Mateus, do capítulo 5 ao 7. Com

---

* Por exemplo, veja a lista detalhada dos antepassados de Jesus em Lucas 3:23-38.

---

9. (a) De que maneiras a Bíblia revela ser historicamente exata e confiável? (b) O que você acha que a franqueza dos escritores da Bíblia revela a respeito dela?
10. Por que não é de admirar que a Bíblia seja um livro prático?
11, 12. (a) Que assuntos Jesus considerou no Sermão do Monte? (b) Que outros assuntos práticos são considerados na Bíblia, e por que seus conselhos são sempre válidos?

O escritor bíblico Isaías predisse a queda de Babilônia

magistral arte de ensino, Jesus falou sobre vários assuntos, incluindo a maneira de encontrar a felicidade verdadeira, como resolver desentendimentos, como orar e como ter o conceito correto sobre bens materiais. As palavras de Jesus têm hoje a mesma força e valor prático que tiveram quando ele as proferiu.

12 Alguns princípios bíblicos tratam da vida familiar, de hábitos de trabalho e de relações humanas. Os princípios

bíblicos se aplicam a todos, e seus conselhos são sempre benéficos. A sabedoria contida na Bíblia se resume nas palavras de Deus proferidas por meio do profeta Isaías: "Eu, Jeová, sou o seu Deus, Aquele que ensina o que é melhor para você." — Isaías 48:17.

UM LIVRO DE PROFECIAS

[13] A Bíblia contém numerosas profecias, muitas das quais já se cumpriram. Veja um exemplo. Por meio do profeta Isaías, que viveu no oitavo século AEC, Jeová predisse que a cidade de Babilônia seria destruída. (Isaías 13:19; 14:22, 23) Foram fornecidos detalhes para mostrar exatamente *como* a cidade seria conquistada. Exércitos invasores secariam as águas do rio de Babilônia e entrariam na cidade sem luta. Isso não é tudo. A profecia de Isaías até mesmo revelou o nome do rei que conquistaria Babilônia: Ciro. — **Leia Isaías 44:27–45:2.**

[14] Uns 200 anos mais tarde — na noite de 5/6 de outubro de 539 AEC — um exército acampou perto de Babilônia. Quem era seu comandante? Um rei persa chamado Ciro. Estava formado o cenário para o cumprimento duma espantosa profecia. Mas será que o exército de Ciro invadiria Babilônia sem luta, conforme predito?

[15] Naquela noite, os babilônios estavam realizando uma grande festa e sentiam-se seguros atrás das maciças muralhas da cidade. Enquanto isso, Ciro engenhosamente desviava as águas do rio que cortava a cidade. As águas logo baixaram o suficiente para que seus homens cruzassem o rio e se aproximassem das muralhas da cidade. Mas como o exército de Ciro passaria pelas muralhas da cidade?

---

13. Que detalhes a respeito da destruição de Babilônia Jeová inspirou o profeta Isaías a registrar?
14, 15. Como se cumpriram alguns detalhes da profecia de Isaías a respeito de Babilônia?

Por alguma razão, naquela noite, por descuido, os portões da cidade foram deixados abertos!

[16] Foi predito a respeito de Babilônia: "Nunca mais será habitada, nem será povoada de geração em geração. O árabe não armará ali a sua tenda, e os pastores não levarão seus rebanhos para descansar ali." (Isaías 13:20) Essa profecia predisse mais do que apenas a queda de uma cidade. Ela mostrou que Babilônia ficaria desabitada para *sempre*. Pode-se ver hoje a evidência do cumprimento dessas palavras. O local desabitado onde ficava a antiga Babilônia — uns 80 quilômetros ao sul de Bagdá, Iraque — prova que as seguintes palavras, que Jeová falou por meio de Isaías, se cumpriram: "Vou varrê-la com a vassoura da destruição." — Isaías 14:22, 23.*

---

* Para mais informações sobre profecias bíblicas, veja as páginas 27-29 da brochura *Um Livro para Todas as Pessoas*, publicada pelas Testemunhas de Jeová.

---

16. (a) O que Isaías predisse a respeito do destino de Babilônia? (b) Como se cumpriu a profecia de Isaías a respeito do despovoamento de Babilônia?

[17] Ter certeza de que a Bíblia é um livro de profecias confiáveis fortalece a fé, não acha? Afinal, se Jeová Deus cumpriu suas promessas no passado, temos todos os motivos para confiar que ele cumprirá também sua promessa de uma Terra paradisíaca. **(Leia Números 23:19.)** De fato, temos "esperança de vida eterna que Deus, que não pode mentir, prometeu muito tempo atrás". — Tito 1:2.*

"A PALAVRA DE DEUS É VIVA"

[18] À base do que vimos neste capítulo, fica claro que a Bíblia é mesmo um livro sem igual. No entanto, seu valor vai

---

* A destruição de Babilônia é apenas um exemplo de profecia bíblica que se cumpriu. Outros exemplos são a destruição de Tiro e de Nínive. (Ezequiel 26:1-5; Sofonias 2:13-15) Também, uma das profecias de Daniel predisse a sucessão de impérios mundiais que chegariam ao poder depois de Babilônia. Entre esses a Medo-Pérsia e a Grécia. (Daniel 8:5-7, 20-22) Veja o Apêndice, páginas 199-201, para uma consideração das muitas profecias messiânicas que se cumpriram em Jesus Cristo.

---

17. Por que o cumprimento de profecias bíblicas fortalece a fé?
18. Que importante declaração fez o apóstolo cristão Paulo a respeito da "palavra de Deus"?

Ruínas de Babilônia

muito além de sua harmonia interna, exatidão científica e histórica, sabedoria prática e profecias confiáveis. O apóstolo cristão Paulo escreveu: "A palavra de Deus é viva e exerce poder, e é mais afiada do que qualquer espada de dois gumes, e penetra a ponto de fazer divisão entre a alma e o espírito, e entre as juntas e a medula, e é capaz de discernir os pensamentos e as intenções do coração." — Hebreus 4:12.

[19] Ler a "palavra", ou mensagem, de Deus na Bíblia pode mudar a nossa vida. Pode nos ajudar a examinar a nós mesmos como nunca fizemos antes. Talvez afirmemos amar a Deus, mas o modo como reagimos ao que sua Palavra inspirada, a Bíblia, ensina revelará quais são os nossos verdadeiros pensamentos, até mesmo as intenções do coração.

[20] A Bíblia é realmente um livro de Deus. É um livro que deve ser lido, estudado e amado. Mostre sua gratidão por esse presente divino por não desistir de examinar seu conteúdo. Fazendo isso, você desenvolverá um profundo apreço pelo propósito de Deus para a humanidade. Exatamente que propósito é esse, e como se cumprirá, será considerado no próximo capítulo.

19, 20. (a) Como a Bíblia pode ajudá-lo a examinar a si mesmo? (b) Como você pode mostrar gratidão por esse inigualável presente de Deus, a Bíblia?

O QUE A BÍBLIA ENSINA

- A Bíblia é inspirada por Deus, portanto, é exata e confiável. — 2 Timóteo 3:16.
- As informações contidas na Palavra de Deus são práticas para a vida diária. — Isaías 48:17.
- As promessas de Deus contidas na Bíblia se cumprirão com certeza. — Números 23:19.

CAPÍTULO TRÊS

Qual é o propósito de Deus para a Terra?

Qual é o propósito de Deus para a humanidade?
Como Deus foi desafiado?
Como será a vida na Terra no futuro?

O PROPÓSITO de Deus para a Terra é realmente maravilhoso. Jeová deseja que ela seja habitada por pessoas felizes e sadias. A Bíblia diz que "Jeová Deus plantou um jardim no Éden" e "fez brotar . . . todo tipo de árvores de aspecto agradável e boas para alimento". Depois que Deus criou o primeiro homem e a primeira mulher, Adão e Eva, ele os colocou nesse lar maravilhoso e disse-lhes: "Tenham filhos e tornem-se muitos; encham e dominem a terra." (Gênesis 1:28; 2:8, 9, 15) Portanto, o propósito de Deus era que os humanos tivessem filhos, estendessem os limites daquele lar paradisíaco a toda a Terra e cuidassem dos animais.

[2] Será que o propósito de Jeová Deus, de que as pessoas vivam num paraíso terrestre, vai se cumprir? "Eu falei", diz Deus, "e o cumprirei". (Isaías 46:9-11; 55:11) Deus com certeza cumprirá seu propósito! Ele diz que 'não criou a Terra simplesmente para nada, mas a formou para ser habitada'. (Isaías 45:18) Que tipo de pessoas Deus queria que vivessem na Terra? E por quanto tempo ele queria que

---

1. Qual é o propósito de Deus para a Terra?
2. (a) Que certeza temos de que o propósito de Deus para a Terra se cumprirá? (b) O que a Bíblia diz a respeito de humanos viverem para sempre?

vivessem aqui? A Bíblia responde: "Os *justos* possuirão a terra e *viverão nela para sempre."* — Salmo 37:29; Apocalipse 21:3, 4.

[3] Obviamente, isso ainda não aconteceu. As pessoas adoecem e morrem; até mesmo se agridem e matam umas às outras. Algo saiu errado. Mas com certeza Deus não queria que as condições na Terra fossem do jeito que são hoje! O que aconteceu? Por que o propósito de Deus não se cumpriu? Nenhum livro de história escrito por um humano pode nos dar a resposta, porque os problemas começaram no céu.

SURGE UM INIMIGO

[4] O primeiro livro da Bíblia nos fala a respeito de um rival de Deus que se manifestou no jardim do Éden. Ele é chamado de "serpente", mas não era um simples animal. O último livro da Bíblia identifica-o como "Diabo e Satanás, que está enganando toda a terra habitada". Ele é também chamado de "serpente *original*". (Gênesis 3:1; Apocalipse 12:9) Esse anjo poderoso, ou criatura espiritual invisível, usou uma serpente para falar com Eva, assim como uma pessoa bem treinada pode fazer com que sua voz pareça ser a de um boneco ao seu lado. Essa criatura espiritual sem dúvida estava presente quando Deus preparou a Terra para os humanos. — Jó 38:4, 7.

[5] Mas, visto que todas as criações de Jeová são perfeitas, quem fez esse "Diabo" ou "Satanás"? Dito de maneira simples, *um dos poderosos filhos espirituais de Deus fez de si mesmo o Diabo.* Como isso foi possível? Bem, até mesmo

---

3. Que condições tristes existem hoje na Terra, e isso levanta que perguntas?

4, 5. (a) Quem na realidade falou com Eva por meio duma serpente? (b) Como é possível que alguém decente e honesto se torne ladrão?

alguém decente e honesto pode tornar-se ladrão. Como é que isso pode acontecer? Essa pessoa talvez permita que um desejo errado se desenvolva no coração. Se *continuar pensando nisso,* esse desejo pode tornar-se muito forte. Daí, se surgir uma oportunidade, ela talvez acabe agindo segundo o seu desejo. — **Leia Tiago 1:13-15.**

[6] Foi isso o que aconteceu com Satanás, o Diabo. Pelo visto, ele ouviu Deus dizer a Adão e Eva que tivessem filhos e povoassem a Terra com seus descendentes. (Gênesis 1:27, 28) Satanás pode ter pensado: 'Ora, todos esses humanos poderiam adorar a mim, em vez de a Deus!' Assim, um desejo errado instalou-se no seu coração. Por fim, ele agiu enganando Eva por contar-lhe mentiras a respeito de Deus. **(Leia Gênesis 3:1-5.)** Desse modo, ele tornou-se o "Diabo", que significa "caluniador". Ao mesmo tempo, tornou-se "Satanás", que significa "opositor".

[7] Usando mentiras e trapaças, Satanás, o Diabo, fez com que Adão e Eva desobedecessem a Deus. (Gênesis 2:17; 3:6) Em resultado disso, por fim eles morreram, como Deus havia dito que aconteceria, caso desobedecessem. (Gênesis 3:17-19) Visto que Adão se tornou imperfeito quando pecou, todos os seus descendentes herdaram dele o pecado. **(Leia Romanos 5:12.)** Pode-se ilustrar essa situação com uma fôrma para fazer pão. Se a fôrma tiver um defeito, o que acontecerá com todos os pães feitos nela? Todos eles sairão com defeito, ou imperfeição. Da mesma maneira, todo ser humano herda um "defeito" causado pela imperfeição de Adão. É por isso que todos os humanos envelhecem e morrem. — Romanos 3:23.

---

6. Como foi que um poderoso filho espiritual de Deus se tornou Satanás, o Diabo?
7. (a) Por que Adão e Eva morreram? (b) Por que todos os descendentes de Adão envelhecem e morrem?

[8] Quando Satanás induziu Adão e Eva a pecar contra Deus, ele estava na verdade liderando uma rebelião. Ele desafiava a maneira de Jeová governar. Na realidade, Satanás dizia: 'Deus é um mau governante. Ele mente e priva seus

---

8, 9. (a) Que desafio Satanás evidentemente lançou? (b) Por que Deus não destruiu de imediato os rebeldes?

Como Satanás poderia ter oferecido a Jesus todos os reinos do mundo se estes não lhe pertencessem?

súditos de coisas boas. Os humanos não precisam que Deus os governe. Eles podem decidir por si mesmos o que é bom e o que é mau. E serão mais bem-sucedidos se forem governados por mim.' Como Deus enfrentaria um desafio tão insultante? Alguns acham que Deus deveria simplesmente destruir os rebeldes. Mas será que isso responderia ao desafio de Satanás? Será que provaria que o modo de Deus governar é correto?

[9] O senso de justiça perfeito de Jeová não lhe permitiria executar imediatamente os rebeldes. Ele decidiu que seria necessário um tempo para responder ao desafio de Satanás de modo satisfatório e provar que o Diabo é mentiroso. Assim, Deus resolveu permitir que os humanos governassem a si mesmos por um bom tempo sob a influência de Satanás. O motivo de Jeová ter feito isso e a razão de ter concedido tanto tempo para resolver essas questões serão considerados no Capítulo 11 deste livro. Por ora, no entanto, é bom pensar: Será que Adão e Eva estavam certos ao acreditarem em Satanás, que nunca lhes fizera nenhum bem? Será que tinham motivos para crer que Jeová, que lhes havia dado tudo o que possuíam, era um mentiroso cruel? O que você teria feito?

[10] É bom pensar nessas perguntas, pois cada um de nós enfrenta questões similares hoje em dia. De fato, você tem a oportunidade de apoiar o lado de Jeová na resposta ao desafio de Satanás. Você pode aceitar a Jeová como Governante e ajudar a mostrar que Satanás é mentiroso. (Salmo 73:28; **leia Provérbios 27:11.**) Infelizmente, poucos dentre os bilhões de pessoas no mundo fazem essa escolha. Isso levanta uma pergunta importante: Será que a Bíblia realmente ensina que Satanás governa este mundo?

---

10. Como você pode apoiar o lado de Jeová na resposta ao desafio de Satanás?

QUEM GOVERNA ESTE MUNDO?

[11] Jesus jamais duvidou que Satanás fosse o governante deste mundo. De alguma forma milagrosa, Satanás certa vez mostrou a Jesus "todos os reinos do mundo e a glória deles". Daí, ele prometeu a Jesus: "Eu lhe darei tudo isto se você se prostrar e me fizer um ato de adoração." (Mateus 4:8, 9; Lucas 4:5, 6) Pense nisso. Se o Diabo não fosse o governante desses reinos, poderia ele ter *tentado* Jesus com essa oferta? Jesus não negou que todos esses governos do mundo pertencessem a Satanás. Certamente, Jesus teria feito isso se Satanás não fosse a verdadeira fonte de poder desses governos.

[12] Naturalmente, Jeová é o Deus todo-poderoso, o Criador do maravilhoso Universo. (Apocalipse 4:11) No entanto, em nenhum lugar a Bíblia diz que Jeová Deus ou Jesus Cristo seja o governante deste mundo. De fato, Jesus se referiu especificamente a Satanás como "o governante deste mundo". (João 12:31; 14:30; 16:11) A Bíblia até mesmo fala de Satanás, o Diabo, como "o deus deste mundo". (2 Coríntios 4:3, 4) A respeito desse opositor, ou Satanás, o apóstolo João escreveu: "O mundo inteiro está no poder do Maligno." — 1 João 5:19.

COMO O MUNDO DE SATANÁS SERÁ DESTRUÍDO

[13] A cada ano que passa, o mundo fica mais perigoso. Ele está cheio de exércitos agressivos, políticos desonestos, líderes religiosos hipócritas e criminosos endurecidos. Este mundo como um todo é irreformável. A Bíblia revela que se aproxima o dia em que este mundo mau será destruído

---

11, 12. (a) De que modo uma tentação pela qual Jesus passou revela que Satanás é o governante deste mundo? (b) Que outras provas existem de que Satanás é o governante deste mundo?
13. Por que há necessidade de um novo mundo?

no Armagedom, a guerra de Deus. Isso abrirá o caminho para um novo mundo justo. — Apocalipse 16:14-16.

[14] Jeová Deus escolheu Jesus Cristo como Governante de Seu Reino, ou governo, celestial. Muito tempo atrás, a Bíblia predisse: "Um menino nos nasceu, um filho nos foi dado; e o governo estará sobre os seus ombros. Ele receberá o nome de . . . Príncipe da Paz. A expansão do seu governo e a paz . . . não terão fim." (Isaías 9:6, 7; nota) A respeito desse governo, Jesus ensinou seus seguidores a orar: "Venha o teu Reino. Seja feita a tua vontade, como no céu, assim também na terra." (Mateus 6:10) Como veremos mais adiante neste livro, o Reino de Deus em breve eliminará todos os governos deste mundo e ocupará o lugar deles. **(Leia Daniel 2:44.)** Em seguida, o Reino de Deus fará da Terra um paraíso.

APROXIMA-SE UM NOVO MUNDO!

[15] A Bíblia garante: 'Há novos céus e uma nova terra que aguardamos segundo a promessa de Deus, e nesses morará a justiça.' (2 Pedro 3:13; Isaías 65:17) Às vezes, quando a Bíblia fala de "terra", ela se refere às *pessoas* que vivem na Terra. (Gênesis 11:1) Assim, a "nova terra" de justiça será uma sociedade de pessoas que receberá a aprovação de Deus.

[16] Jesus prometeu que, no futuro novo mundo, os aprovados por Deus receberão a dádiva da "vida eterna". (Marcos 10:30) Abra a sua Bíblia em João 3:16 e 17:3 e leia o que Jesus disse que temos de fazer para ganhar a vida eterna. Agora, considere a seguir as bênçãos que a Bíblia

---

14. A quem Deus escolheu como Governante de seu Reino, e como isso foi predito?
15. O que será a "nova terra"?
16. Que dádiva inestimável Deus dará aos que ele aprovar, e o que temos de fazer para recebê-la?

promete aos que se habilitarem para receber essa maravilhosa dádiva de Deus no futuro Paraíso terrestre.

[17] *A maldade, a guerra, o crime e a violência não existirão mais.* "Os maus deixarão de existir . . . Mas os mansos possuirão a terra." (Salmo 37:10, 11) Haverá paz porque 'Deus porá fim às guerras em toda a terra'. (Salmo 46:9; Isaías 2:4) Daí "o justo florescerá, e haverá abundância de paz até que não haja mais lua" — o que significa para sempre! — Salmo 72:7.

[18] *Os adoradores de Jeová viverão em segurança.* Enquanto os israelitas nos tempos bíblicos obedeciam a Deus, eles viviam em segurança. (Levítico 25:18, 19) Como será maravilhoso ter uma segurança assim no Paraíso! — **Leia Isaías 32:18;** Miqueias 4:4.

[19] *Não mais faltarão alimentos.* "Haverá fartura de cereal na terra", disse o salmista num cântico. "E superabundância no cume das montanhas." (Salmo 72:16) Jeová abençoará os justos e "a terra dará a sua produção". — Salmo 67:6.

[20] *A Terra inteira se tornará um paraíso.* Belas casas e lindos jardins ocuparão espaços antes arruinados por humanos pecadores. (**Leia Isaías 65:21-24;** Apocalipse 11:18) Com o tempo, partes recuperadas da Terra se expandirão até que o globo inteiro se torne tão belo e produtivo como era o jardim do Éden. E Deus jamais deixará de 'abrir a mão e satisfazer o desejo de todos os seres vivos'. — Salmo 145:16.

[21] *Haverá paz entre os humanos e os animais.* Animais

17, 18. Como podemos ter certeza de que haverá paz e segurança em toda a Terra?

19. Como sabemos que haverá fartura de alimentos no novo mundo de Deus?

20. Por que podemos ter certeza de que a Terra inteira se tornará um paraíso?

21. Como sabemos que haverá paz entre os humanos e os animais?

selvagens e domésticos comerão juntos. Nem mesmo uma criancinha precisará ter medo de animais que hoje são perigosos. — **Leia Isaías 11:6-9**; 65:25.

22 *As doenças desaparecerão.* Como Governante do Reino celestial de Deus, Jesus realizará curas em escala bem maior do que quando esteve na Terra. (Mateus 9:35; Marcos 1:40-42; João 5:5-9) Naquele tempo, "nenhum habitante dirá: 'Estou doente.' " — Isaías 33:24; 35:5, 6.

23 *Entes queridos falecidos voltarão a viver com a perspectiva de jamais morrer.* Todos os que estão dormindo na morte e estão na memória de Deus voltarão à vida. De fato, "haverá uma ressurreição tanto de justos como de injustos". — Atos 24:15; **leia João 5:28, 29.**

24 Como será maravilhoso o futuro para os que decidem aprender sobre o Grandioso Criador, Jeová, e servi-lo! Jesus se referia ao futuro Paraíso na Terra quando prometeu ao criminoso que morreu ao seu lado: "Você estará comigo no Paraíso." (Lucas 23:43) É importante que aprendamos mais sobre Jesus Cristo, por meio de quem essas bênçãos se tornarão possíveis.

---

22. O que acontecerá com as doenças?
23. Por que a ressurreição alegrará nosso coração?
24. O que você acha da ideia de viver no Paraíso na Terra?

O QUE A BÍBLIA ENSINA

- O propósito de Deus de fazer da Terra um paraíso se cumprirá. — Isaías 45:18; 55:11.
- Este mundo por enquanto é governado por Satanás. — João 12:31; 1 João 5:19.
- No futuro novo mundo, Deus concederá muitas bênçãos à humanidade. — Salmo 37:10, 11, 29.

CAPÍTULO QUATRO

Quem é Jesus Cristo?

Qual é o papel principal de Jesus?
De onde ele veio?
Que tipo de pessoa foi Jesus?

HÁ MUITAS pessoas famosas no mundo. Algumas são bem conhecidas na comunidade, cidade ou país onde vivem. Outras são conhecidas no mundo inteiro. No entanto, apenas saber o nome de alguém famoso não significa que você realmente *conhece* a pessoa. Não significa que conhece detalhes sobre sua formação e o tipo de pessoa que ela realmente é.

2 Pessoas em todo o mundo já ouviram algo a respeito de Jesus Cristo, embora ele tenha vivido na Terra uns 2 mil anos atrás. Mas muitos se sentem confusos quanto a quem realmente foi Jesus. Alguns dizem que ele foi apenas um bom homem. Outros afirmam que não foi nada mais do que um profeta. Ainda outros acreditam que Jesus é Deus e deve ser adorado. Deve mesmo ser adorado?

3 É importante saber a verdade sobre Jesus. Por quê? Porque a Bíblia diz: "Isto significa vida eterna: que conheçam a ti, o único Deus verdadeiro, *e àquele que tu enviaste, Jesus Cristo.*" (João 17:3) De fato, conhecer realmente a Jeová Deus e a Jesus Cristo pode resultar em vida eterna numa Terra paradisíaca. (João 14:6) Além disso, Jesus

---

1, 2. (a) Por que saber que uma pessoa famosa existe não significa que você realmente a *conhece?* (b) Que confusão existe a respeito de Jesus?
3. Por que é importante conhecer a Jeová Deus e a Jesus Cristo?

deu o melhor exemplo de como viver e tratar os outros. (João 13:34, 35) No primeiro capítulo deste livro consideramos a verdade sobre Deus. Agora, vejamos o que a Bíblia realmente ensina a respeito de Jesus Cristo.

O MESSIAS PROMETIDO

[4] Muito antes de Jesus nascer, a Bíblia predisse a vinda daquele a quem Deus enviaria como Messias, ou Cristo. Ambos os títulos, "Messias" (de uma palavra hebraica) e "Cristo" (de uma palavra grega), significam "ungido". Esse Prometido seria ungido, isto é, designado por Deus para um cargo especial. Em outros capí-

4. O que significam os títulos "Messias" e "Cristo"?

Ao ser batizado, Jesus tornou-se o Messias, ou Cristo

tulos deste livro teremos mais explicações sobre o importante papel do Messias no cumprimento das promessas de Deus. Consideraremos também as bênçãos que Jesus pode nos conceder já agora. Antes de ele nascer, no entanto, muitos com certeza se perguntavam: 'Quem será o Messias?'

[5] No primeiro século EC, os discípulos de Jesus de Nazaré estavam plenamente convencidos de que ele era o predito Messias. (João 1:41) Um dos discípulos, chamado Simão Pedro, disse abertamente a Jesus: "O senhor é o Cristo." (Mateus 16:16) Mas como aqueles discípulos podiam ter certeza — e como nós hoje podemos ter certeza — de que Jesus é mesmo o Messias prometido?

[6] Os profetas de Deus que viveram antes de Jesus deram muitos detalhes a respeito do Messias. Esses detalhes ajudariam outros a identificá-lo. Podemos ilustrar isso do seguinte modo: suponhamos que alguém lhe peça para buscar uma pessoa que você não conhece num terminal rodoviário, numa estação ferroviária ou num aeroporto bem movimentados. Não seria útil ter alguns detalhes a respeito dessa pessoa? Da mesma forma, por meio de profetas bíblicos, Jeová forneceu uma descrição um tanto detalhada do que o Messias faria e do que aconteceria com ele. O cumprimento dessas muitas profecias ajudaria os fiéis a identificá-lo claramente.

[7] Veja apenas dois exemplos. Primeiro, com mais de 700 anos de antecedência, o profeta Miqueias predisse que o Prometido nasceria em Belém, uma pequena cidade na terra de Judá. (Miqueias 5:2) Onde Jesus nasceu? Como

---

5. Os discípulos de Jesus ficaram plenamente convencidos de que a respeito dele?
6. Ilustre como Jeová tem ajudado os fiéis a identificar o Messias.
7. Cite duas profecias que se cumpriram com relação a Jesus.

era de esperar, nessa mesma cidade! (Mateus 2:1, 3-9) Segundo, com muitos séculos de antecedência, a profecia registrada em Daniel 9:25 indicou exatamente o ano em que o Messias apareceria — 29 EC.* O cumprimento dessas e de outras profecias prova que Jesus era o Messias prometido.

[8] Outra prova de que Jesus era o Messias ficou evidente perto do fim de 29 EC. Foi nesse ano que Jesus se dirigiu a João Batista para ser batizado no rio Jordão. Jeová havia prometido um sinal a João, de modo que ele pudesse identificar o Messias. João viu esse sinal por ocasião do batismo de Jesus. A Bíblia diz o que aconteceu: "Depois de ser batizado, Jesus saiu imediatamente da água, e naquele momento os céus se abriram, e ele viu o espírito de Deus descer como pomba e vir sobre ele. Também, uma voz vinda dos céus disse: 'Este é meu Filho, o amado, a quem eu aprovo.'" (Mateus 3:16, 17) Depois de ter visto e ouvido o que aconteceu, João não teve dúvida de que Jesus havia sido enviado por Deus. (João 1:32-34) No momento em que o espírito, ou força ativa, de Deus foi derramado sobre Jesus naquele dia, ele tornou-se o Messias, ou Cristo, designado para ser Líder e Rei. — Isaías 55:4.

[9] O cumprimento das profecias bíblicas e o testemunho do próprio Jeová mostraram claramente que Jesus era o Messias prometido. Mas a Bíblia responde a duas outras perguntas importantes sobre Jesus Cristo: de onde ele veio, e que tipo de pessoa foi ele?

---

* Para um estudo das profecias de Daniel que se cumpriram com relação a Jesus, veja o Apêndice, páginas 197-199.

8, 9. Que prova de que Jesus era o Messias ficou evidente por ocasião de seu batismo?

DE ONDE JESUS VEIO?

10 A Bíblia ensina que Jesus vivia no céu antes de vir à Terra. Miqueias profetizou que o Messias nasceria em Belém e que sua origem seria desde os "tempos antigos". (Miqueias 5:2) Em muitas ocasiões, o próprio Jesus disse que ele havia vivido no céu antes de nascer como ser humano. **(Leia João 3:13; 6:38, 62;** 17:4, 5) Como criatura espiritual no céu, Jesus tinha uma relação especial com Jeová.

11 Jesus é o Filho mais precioso de Jeová — e por bons motivos. Ele é chamado de "primogênito de toda a criação", pois foi a primeira criação de Deus.* (Colossenses 1:15) Há mais uma coisa que torna especial esse Filho. Ele é o "Filho unigênito". (João 3:16) Isso significa que Jesus é o único criado diretamente por Deus. Ele é também o único por meio de quem Deus criou todas as outras coisas. (Colossenses 1:16) E Jesus também é chamado de "a Palavra". (João 1:14) Isso significa que ele falava em nome de Deus, sem dúvida transmitindo mensagens e instruções aos outros filhos de seu Pai, tanto espirituais como humanos.

12 Será que o Filho primogênito é igual a Deus, como alguns creem? Não é isso o que a Bíblia ensina. Como vimos no parágrafo anterior, o Filho foi criado. Obviamente, pois, ele teve princípio, ao passo que Jeová não teve princípio nem terá fim. (Salmo 90:2) O Filho unigênito jamais pensou em ser igual ao Pai. A Bíblia ensina claramente

---

* Jeová é chamado de Pai porque é o Criador. (Isaías 64:8) Visto que Jesus foi criado por Deus, ele é chamado de Filho de Deus. Por razões similares, outras criaturas espirituais e até mesmo o ser humano Adão são chamados de filhos de Deus. — Jó 1:6; Lucas 3:38.

---

10. O que a Bíblia ensina a respeito da existência de Jesus antes de ele vir à Terra?
11. Como a Bíblia mostra que Jesus é o Filho mais precioso de Jeová?
12. Como sabemos que o Filho primogênito não é igual a Deus?

que o Pai é maior do que o Filho. **(Leia João 14:28;** 1 Coríntios 11:3) Só Jeová é o "Deus Todo-Poderoso". (Gênesis 17:1) Portanto, não há ninguém igual a ele.*

[13] Jeová e seu Filho primogênito tiveram um relacionamento bem achegado por bilhões de anos — muito antes de os céus estrelados e a Terra terem sido criados. Quanto amor existia entre eles! (João 3:35; 14:31) Esse Filho amado era exatamente como seu Pai. É por isso que a Bíblia se refere ao Filho como "a imagem do Deus invisível". (Colossenses 1:15) De fato, assim como um filho humano pode em muitos sentidos ser bem parecido com o pai, esse Filho celestial refletia as qualidades e a personalidade de seu Pai.

[14] O Filho unigênito de Jeová deixou voluntariamente o céu e veio à Terra para viver como humano. Mas talvez se pergunte: 'Como foi possível que uma criatura espiritual nascesse como humano?' Para realizar isso, Jeová fez um milagre. Transferiu a vida de seu Filho primogênito do céu para o útero de uma virgem judia chamada Maria. Não houve a participação de um pai humano. Assim, Maria deu à luz um filho perfeito e deu-lhe o nome de Jesus. — Lucas 1:30-35.

QUE TIPO DE PESSOA FOI JESUS?

[15] O que Jesus disse e fez quando esteve na Terra nos ajuda a conhecê-lo bem. Mais do que isso, por meio dele

---

* Outras provas de que o Filho primogênito não é igual a Deus acham-se no Apêndice, páginas 201-204.

---

13. O que a Bíblia quer dizer quando se refere ao Filho como "a imagem do Deus invisível"?
14. Como foi que o Filho unigênito de Jeová veio a nascer como humano?
15. Por que se pode dizer que por meio de Jesus chegamos a conhecer melhor a Jeová?

chegamos a conhecer melhor a Jeová. Como assim? Lembre-se de que esse Filho é um reflexo perfeito do Pai. É por isso que Jesus disse a certo discípulo: "Quem me vê, vê também o Pai." (João 14:9) Os quatro livros da Bíblia conhecidos como Evangelhos — Mateus, Marcos, Lucas e João — relatam muitas coisas sobre a vida, as atividades e as qualidades de Jesus Cristo.

16 Jesus era bem conhecido como "Instrutor". (João 1:38; 13:13) O que ele ensinou? Sua mensagem principal eram "as boas novas do Reino" — isto é, do Reino de Deus, o governo celestial que governará a Terra e trará bênçãos sem fim para os humanos obedientes. (Mateus 4:23) De quem era essa mensagem? O próprio Jesus disse: "O que eu ensino não é meu, mas pertence àquele que me enviou", a saber, Jeová. (João 7:16) Jesus sabia que seu Pai deseja que os humanos ouçam as boas novas do Reino. No Capítulo 8 veremos mais a respeito do Reino de Deus e o que ele fará.

17 Onde Jesus ensinava? Onde houvesse pessoas — nas áreas rurais, nas cidades, nas aldeias, nos mercados e nas casas. Jesus não esperava que as pessoas fossem até ele. Ele as procurava. (Marcos 6:56; Lucas 19:5, 6) Por que Jesus fez todo esse esforço e usou tanto de seu tempo pregando e ensinando? Porque era isso o que Deus queria que ele fizesse. Jesus sempre fez a vontade do Pai. (João 8:28, 29) Mas havia outra razão pela qual ele pregou. Ele sentia pena das multidões que o procuravam. **(Leia Mateus 9:35, 36.)** Elas eram negligenciadas pelos líderes religiosos, que deveriam ensinar-lhes a verdade sobre Deus e seus propósitos. Jesus sabia o quanto as pessoas precisavam ouvir a mensagem do Reino.

---

16. Qual foi a mensagem principal de Jesus, e de onde se originaram seus ensinos?
17. Onde Jesus ensinava, e por que se esforçou tanto para ensinar?

Jesus pregava onde houvesse pessoas

[18] Jesus era um homem brando e de sentimentos profundos. Por isso outros o consideravam acessível e bondoso. Até mesmo crianças se sentiam à vontade com ele. (Marcos 10:13-16) Jesus era imparcial. Odiava a corrupção e a injustiça. (Mateus 21:12, 13) Numa época em que as mulheres não eram muito respeitadas e tinham poucos privilégios, Jesus tratou-as com dignidade. (João 4:9, 27) Ele era genuinamente humilde. Certa ocasião, lavou os pés dos apóstolos — um serviço em geral realizado por um humilde criado.

[19] Jesus era sensível às necessidades de outros. Isso ficou bem evidente quando, com a ajuda do espírito de Deus, ele realizou curas milagrosas. (Mateus 14:14) Por exemplo, um leproso aproximou-se dele e disse: "Se o senhor

---

18. Que qualidades de Jesus você acha mais atraentes?
19. Que exemplos mostram que Jesus era sensível às necessidades de outros?

apenas quiser, pode me purificar." Jesus sentiu a dor e o sofrimento desse homem. Movido por compaixão, estendeu a mão e tocou no homem, dizendo: "Eu quero! Seja purificado." E o doente foi curado! (Marcos 1:40-42) Pode imaginar a alegria desse homem?

FIEL ATÉ O FIM

20 Jesus deu o melhor exemplo de obediência leal a Deus. Permaneceu fiel ao Pai celestial nas mais diferentes situações e em todo tipo de oposição e sofrimento. Ele resistiu com firmeza e bom êxito às tentações de Satanás. (Mateus 4:1-11) Houve um tempo em que alguns de seus próprios parentes não tinham fé nele, chegando a dizer que ele havia 'perdido o juízo'. (Marcos 3:21) Mas Jesus não permitiu que o influenciassem; levou avante a obra de Deus. Apesar de insultos e abusos,

---

20, 21. De que modo Jesus foi exemplo de obediência leal a Deus?

manteve o autocontrole, sem jamais tentar prejudicar seus opositores. — 1 Pedro 2:21-23.

[21] Jesus foi fiel até a morte — uma morte cruel e dolorosa às mãos de seus inimigos. **(Leia Filipenses 2:8.)** Veja o que ele teve de suportar no último dia de sua vida como humano. Foi preso, acusado por testemunhas falsas, condenado por juízes corruptos, escarnecido por turbas e torturado por soldados. Pregado numa estaca, deu o último suspiro, bradando: "Está consumado!" (João 19:30) No entanto, no terceiro dia após a morte de Jesus, seu Pai celestial o ressuscitou para a vida espiritual. (1 Pedro 3:18) Algumas semanas depois, voltou ao céu. Ali, "sentou-se à direita de Deus", aguardando receber o poder como rei. — Hebreus 10:12, 13.

[22] O que Jesus realizou por permanecer fiel até a morte? A morte de Jesus realmente nos abre a oportunidade de viver para sempre numa Terra paradisíaca, como era o propósito original de Jeová. No próximo capítulo veremos como a morte de Jesus torna isso possível.

---

22. O que Jesus realizou por permanecer fiel até a morte?

O QUE A BÍBLIA ENSINA

- O cumprimento de profecias e o testemunho do próprio Deus provam que Jesus é o Messias, ou Cristo. — Mateus 16:16.
- Jesus viveu no céu como criatura espiritual muito antes de vir à Terra. — João 3:13.
- Jesus foi instrutor, um homem brando e exemplo de obediência perfeita a Deus. — Mateus 9:35, 36.

CAPÍTULO CINCO

O resgate — a maior dádiva de Deus

O que é o resgate?

Como foi providenciado?

O que ele pode significar para você?

Como mostrar apreço por ele?

QUAL é a maior dádiva, ou presente, que você já recebeu? Um presente não precisa ser caro para ser importante. Afinal, o verdadeiro valor de um presente não é necessariamente medido em termos de dinheiro. Se um presente lhe traz felicidade, ou preenche uma real necessidade na sua vida, ele tem grande valor para você.

2 Dentre os muitos presentes que você poderia imaginar receber existe um que se destaca. É um presente, ou dádiva, de Deus à humanidade. Ele nos deu muitas coisas, mas sua maior dádiva é o sacrifício de resgate de seu Filho, Jesus Cristo. **(Leia Mateus 20:28.)** Como veremos neste capítulo, o resgate é o presente mais valioso que você poderia receber, pois pode trazer-lhe felicidade indescritível e preencher suas necessidades mais importantes. O resgate é, de fato, a maior expressão do amor de Jeová por você.

1, 2. (a) Que tipo de presente é de grande valor para você? (b) Por que se pode dizer que o resgate é o maior presente que você poderia receber?

O QUE É O RESGATE?

[3] Em termos simples, o resgate é o meio de Jeová livrar, ou salvar, a humanidade do pecado e da morte. (Efésios 1:7) Para entendermos bem esse ensino bíblico, temos de lembrar o que aconteceu lá no jardim do Éden. Só poderemos compreender por que o resgate é um presente tão valioso se entendermos o que Adão perdeu quando pecou.

[4] Ao criar Adão, Jeová lhe deu algo realmente precioso — a vida humana perfeita. Veja o que isso significava para Adão. Com corpo e mente perfeitos, ele jamais iria adoecer, envelhecer ou morrer. Como humano perfeito, tinha uma relação especial com Jeová. A Bíblia diz que Adão era "filho de Deus". (Lucas 3:38) Portanto, Adão tinha uma relação achegada com Jeová, como a de um filho com um pai amoroso. Jeová se comunicava com esse filho terrestre, dando-lhe gratificantes tarefas e informando-o sobre o que se esperava dele. — Gênesis 1:28-30; 2:16, 17.

[5] Adão foi criado "à imagem de Deus". (Gênesis 1:27) Isso não significa que ele era parecido com Deus na aparência. Como vimos no Capítulo 1 deste livro, Jeová é um espírito invisível. (João 4:24) Portanto, Jeová não tem corpo de carne e sangue. Ter sido feito à imagem de Deus significa que Adão foi criado com qualidades semelhantes às de Deus, como o amor, a sabedoria, a justiça e o poder. Adão era semelhante ao Pai em ainda outro sentido importante, ou seja, ele tinha liberdade de escolha. Assim, Adão não era como uma máquina que só pode

---

3. O que é o resgate, e o que precisamos entender para ter apreço por esse presente valioso?
4. O que a vida humana perfeita significava para Adão?
5. O que a Bíblia quer dizer quando afirma que Adão foi criado "à imagem de Deus"?

realizar aquilo para o qual foi projetada ou programada. Em vez disso, Adão podia tomar decisões pessoais, escolher entre o que é certo e o que é errado. Se tivesse escolhido obedecer a Deus, ele teria recebido a vida eterna no Paraíso na Terra.

[6] Portanto, é óbvio que, ao desobedecer a Deus e ser condenado à morte, Adão pagou um preço muito alto. O seu pecado custou-lhe a vida humana perfeita com todas as suas bênçãos. (Gênesis 3:17-19) Infelizmente, Adão perdeu essa vida preciosa não apenas para si, mas também para seus descendentes. A Palavra de Deus diz: "Por meio de um só homem [Adão] o pecado entrou no mundo, e a morte por meio do pecado, e desse modo a morte se espalhou por toda a humanidade, porque todos haviam pecado." (Romanos 5:12) Assim sendo, todos nós herdamos o pecado de Adão. De modo que a Bíblia diz que ele 'vendeu' a si mesmo e a seus descendentes como escravos do pecado e da morte. (Romanos 7:14) Não havia esperança para Adão e Eva, pois eles decidiram voluntariamente desobedecer a Deus. Mas que dizer de seus descendentes, incluindo nós?

[7] Jeová veio em socorro da humanidade por meio do resgate. O que é resgate? A ideia de resgate envolve basicamente duas coisas. Primeiro, é o preço que se paga para efetuar um livramento ou para comprar algo de volta. Pode ser comparado ao preço pago para libertar um prisioneiro de guerra. Segundo, resgate é o preço que cobre, ou paga, o custo de algo. É como um preço que se paga para cobrir os prejuízos causados por um dano. Por exemplo, quem provoca um acidente teria de pagar

---

6. O que Adão perdeu ao desobedecer a Deus, e como isso afetou seus descendentes?
7, 8. Um resgate envolve basicamente que duas coisas?

uma quantia equivalente, ou igual, ao valor do que foi danificado.

[8] Como seria possível cobrir a enorme perda que Adão causou a todos nós e sermos libertados da escravidão ao pecado e à morte? Consideremos o resgate que Jeová providenciou, e o que isso pode significar para você.

COMO JEOVÁ PROVIDENCIOU O RESGATE

[9] Visto que foi perdida uma vida humana perfeita, nenhuma vida humana imperfeita poderia comprá-la de volta. (Salmo 49:7, 8) Era preciso um resgate que tivesse o mesmo valor daquilo que foi perdido. Isso se harmoniza com o seguinte princípio de justiça perfeita, que se encontra na Palavra de Deus: "Será vida por vida." (Deuteronômio 19:21) Assim, o que cobriria o valor da vida humana perfeita que Adão perdeu? O exigido "resgate correspondente" teria de ser outra vida humana perfeita. — 1 Timóteo 2:6.

[10] Como Jeová providenciou o resgate? Ele enviou à Terra um de seus filhos espirituais perfeitos. Mas Jeová não enviou simplesmente qualquer criatura espiritual. Enviou aquele que lhe era mais precioso, seu Filho unigênito. **(Leia 1 João 4:9, 10.)** Voluntariamente, esse Filho deixou sua morada celestial. (Filipenses 2:7) Como vimos no capítulo anterior deste livro, Jeová realizou um milagre ao transferir a vida desse Filho para o útero de Maria. Por meio do espírito santo de Deus, Jesus nasceu como humano perfeito, livre da penalidade do pecado. — Lucas 1:35.

[11] Como poderia um único homem servir de resga-

---

9. Que tipo de resgate se exigia?
10. Como Jeová providenciou o resgate?
11. Como um único homem poderia servir de resgate para bilhões de pessoas?

te para muitos, na realidade, bilhões de seres humanos? Bem, como foi que os bilhões de seres humanos se tornaram pecadores? Lembre-se: por ter pecado, Adão perdeu a preciosa posse da vida humana perfeita. Assim, ele não podia transmiti-la a seus descendentes. A única coisa que podia transmitir era o pecado e a morte. Jesus, a quem a Bíblia chama de "último Adão", tinha uma vida humana perfeita e jamais pecou. (1 Coríntios 15:45) Em certo sentido, Jesus ocupou o lugar de Adão com o fim de nos salvar. Por sacrificar sua vida perfeita, ou abrir mão dela, em obediência impecável a Deus, Jesus pagou o preço do pecado de Adão. Com isso, ele trouxe esperança para os descendentes de Adão. — Romanos 5:19; 1 Coríntios 15:21, 22.

12 A Bíblia conta em detalhes o sofrimento de Jesus antes de morrer. Ele foi açoitado e pregado numa estaca, sofrendo uma morte agonizante. (João 19:1, 16-18, 30; Apêndice, páginas 204-206) Por que foi preciso que Jesus sofresse tanto? Num capítulo mais adiante, veremos que Satanás questionou a possibilidade de Jeová ter servos humanos que permanecessem fiéis sob provação. Por ser fiel apesar de grande sofrimento, Jesus deu a melhor resposta possível ao desafio de Satanás. Ele provou que um homem perfeito, com liberdade de escolha, pode manter integridade perfeita a Deus, independentemente do que o Diabo faça. Jeová deve ter se alegrado muito com a fidelidade de seu amado Filho. — Provérbios 27:11.

13 Como foi pago o resgate? No 14.° dia do mês judaico de nisã, de 33 EC, Deus permitiu que seu Filho perfeito e sem pecado fosse executado. Desse modo, Jesus sacrificou sua vida humana perfeita "uma vez para sempre".

---

12. O que o sofrimento de Jesus provou?
13. Como foi pago o resgate?

Jeová deu seu Filho unigênito como resgate em nosso favor

(Hebreus 10:10) No terceiro dia depois da morte de seu Filho, Jeová o ressuscitou de volta à vida espiritual. No céu, Jesus apresentou a Deus o valor de sua vida humana perfeita, sacrificada como resgate em troca da descendência de Adão. (Hebreus 9:24) Jeová aceitou o valor do sacrifício de Jesus como o resgate necessário para livrar a humanidade da escravidão ao pecado e à morte. – **Leia Romanos 3:23, 24.**

O QUE O RESGATE PODE SIGNIFICAR PARA VOCÊ

14 Apesar de nossa condição pecaminosa, podemos receber bênçãos inestimáveis graças ao resgate. Vejamos alguns benefícios atuais e futuros dessa superlativa dádiva de Deus.

15 *O perdão de pecados.* Por causa da imperfeição herdada, fazer o que é correto é uma verdadeira luta para nós. Todos nós pecamos, quer em palavra, quer em ação. Mas, por meio do sacrifício de resgate de Jesus, podemos receber "o perdão dos nossos pecados". (Colossenses 1:13, 14) Para obter esse perdão, no entanto, temos de mostrar sincero arrependimento. Temos também de rogar humildemente a Jeová, pedindo seu perdão à base de nossa fé no sacrifício de resgate de seu Filho. – **Leia 1 João 1:8, 9.**

16 *Consciência limpa perante Deus.* Uma consciência pesada pode facilmente levar à falta de esperança e nos fazer sentir inúteis. Por meio do perdão possibilitado pelo resgate, porém, Jeová bondosamente nos dá condições de adorá-lo com consciência limpa, apesar de nossa imperfeição. (Hebreus 9:13, 14) Isso nos possibilita ter franqueza no falar com Jeová. Assim, podemos

---

14, 15. O que temos de fazer para receber "o perdão dos nossos pecados"?
16. O que nos possibilita adorar a Deus com consciência limpa, e de que valor é uma consciência assim?

Conhecer a Jeová é um modo de você mostrar gratidão pela dádiva divina do resgate

nos dirigir livremente a ele em oração. (Hebreus 4:14-16) Manter uma consciência limpa nos dá paz mental, promove a autoestima e contribui para a felicidade.

17 *A esperança de vida eterna numa Terra paradisíaca.* "O salário pago pelo pecado é a morte", diz Romanos 6:23. O mesmo versículo acrescenta: "Mas a dádiva que Deus dá é a vida eterna por Cristo Jesus, nosso Senhor." No Capítulo 3 deste livro, consideramos as bênçãos do futuro Paraíso terrestre. (Apocalipse 21:3, 4) Todas essas bênçãos futuras, incluindo a vida eterna com saúde perfeita, serão possíveis porque Jesus morreu por nós. Para recebê-las, temos de mostrar que prezamos a dádiva do resgate.

COMO MOSTRAR GRATIDÃO?

18 Por que devemos ser muito gratos a Jeová pelo resgate? Uma dádiva, ou presente, é especialmente valiosa quando envolve sacrifício de tempo, esforço ou despesas da parte de quem a dá. Ficamos comovidos quando percebemos que o presente é expressão de genuíno amor

---

17. Que bênçãos serão possíveis por Jesus ter morrido por nós?
18. Por que devemos ser gratos a Jeová pela provisão do resgate?

por nós. O resgate é a mais preciosa de todas as dádivas, pois providenciá-lo foi para Deus o maior sacrifício que ele poderia fazer. "Deus amou tanto o mundo, que deu o seu Filho unigênito", diz João 3:16. O resgate é a evidência mais notável do amor de Jeová por nós. É também prova do amor de Jesus, pois ele deu voluntariamente a sua vida em nosso favor. **(Leia João 15:13.)** Portanto, a dádiva do resgate deve nos convencer de que Jeová e seu Filho nos amam como pessoas. — Gálatas 2:20.

19 Como, então, você pode mostrar gratidão pela dádiva divina do resgate? Em primeiro lugar, *conheça o Grande Dador, Jeová.* (João 17:3) O estudo da Bíblia, com o auxílio deste livro, vai ajudá-lo nesse sentido. À medida que conhecer a Jeová, seu amor por ele se aprofundará. Esse amor, por sua vez, fará com que você deseje agradá-lo. — 1 João 5:3.

20 *Exerça fé no sacrifício de resgate de Jesus.* A respeito de Jesus, lemos: "Quem exerce fé no Filho tem vida eterna." (João 3:36) Como podemos exercer fé em Jesus? Essa fé não é demonstrada apenas por palavras. "A fé sem obras está morta", diz Tiago 2:26. De fato, a fé verdadeira evidencia-se por meio de "obras", isto é, ações. Uma das maneiras de mostrar que temos fé em Jesus é fazer o melhor possível para imitá-lo, não só em palavras, mas também em ações. — João 13:15.

21 *Assista à celebração anual da Ceia do Senhor.* Na noite de 14 de nisã de 33 EC, Jesus instituiu uma celebração especial que a Bíblia chama de "Ceia do Senhor". (1 Coríntios 11:20; Mateus 26:26-28) Esse evento é chamado

---

19, 20. De que maneiras você pode mostrar gratidão pela dádiva divina do resgate?
21, 22. (a) Por que devemos assistir à celebração anual da Ceia do Senhor? (b) O que será explicado nos Capítulos 6 e 7?

também de Celebração (ou Memorial) da morte de Cristo. Jesus a instituiu para ajudar seus apóstolos e todos os cristãos verdadeiros que viessem depois deles a ter em mente que, por meio de sua morte como humano perfeito, ele deu sua vida como resgate. A respeito dessa celebração, Jesus ordenou: "Persistam em fazer isso em memória de mim." (Lucas 22:19) A Celebração nos faz lembrar do grande amor demonstrado tanto por Jeová como por Jesus no caso do resgate. Podemos mostrar gratidão pelo resgate por comparecermos à celebração anual da morte de Jesus.*

22 A provisão do resgate, feita por Jeová, é sem dúvida uma dádiva de valor incalculável. (2 Coríntios 9:14, 15) Essa dádiva inestimável pode beneficiar até mesmo os que já morreram. Os Capítulos 6 e 7 explicarão como.

---

* Para mais informações sobre a Ceia do Senhor, veja o Apêndice, páginas 206-208.

O QUE A BÍBLIA ENSINA

- O resgate é o meio de Jeová livrar a humanidade do pecado e da morte. — Efésios 1:7.
- Jeová providenciou o resgate enviando seu Filho unigênito à Terra para morrer por nós. — 1 João 4:9, 10.
- Por meio do resgate, obtemos o perdão de pecados, uma consciência limpa e a esperança de vida eterna. — 1 João 1:8, 9.
- Mostramos gratidão pelo resgate por conhecer a Jeová, exercer fé no sacrifício de resgate de Jesus e assistir à Ceia do Senhor. — João 3:16.

CAPÍTULO SEIS

Onde estão os mortos?

O que acontece conosco quando morremos?
Por que morremos?
Serve de consolo saber a verdade a respeito da morte?

ESSAS são perguntas que as pessoas se fazem há milhares de anos. São perguntas importantes. Independentemente de quem somos ou de onde moramos, as respostas são do interesse de cada um de nós.

2 No capítulo anterior, vimos como o sacrifício de resgate de Jesus Cristo abriu o caminho para a vida eterna. Vimos também que a Bíblia prediz um tempo em que "não haverá mais morte". (Apocalipse 21:4) Enquanto esse dia não chega, todos nós estamos sujeitos à morte. "Os vivos sabem que morrerão", disse o sábio Rei Salomão. (Eclesiastes 9:5) Tentamos viver o máximo de tempo possível. Mesmo assim, nós nos perguntamos o que acontecerá conosco ao morrermos.

3 Quando morre uma pessoa amada, nós lamentamos. E talvez nos perguntemos: 'O que está acontecendo com ela? Está sofrendo? Está nos observando? Podemos ajudá-la? Será que um dia a veremos de novo?' As religiões do mundo dão diferentes respostas a essas perguntas. Algumas ensinam que, se você for uma pessoa boa, irá para o céu; mas, se for uma pessoa má, queimará num lugar de tormento. Outras religiões ensinam que, na morte, a pessoa

---

1-3. Que perguntas as pessoas se fazem a respeito da morte, e que respostas dão as várias religiões?

passa para o domínio espiritual a fim de se juntar aos seus antepassados. Ainda outras ensinam que os mortos vão para outro mundo, para serem julgados, e depois reencarnam, ou nascem de novo em outro corpo.

[4] Todos esses ensinos religiosos baseiam-se num conceito básico — de que alguma parte de nós sobrevive à morte do corpo físico. De acordo com quase todas as religiões, antigas e atuais, nós de algum modo continuamos vivos para sempre com a capacidade de ver, ouvir e pensar. Mas como isso é possível? Os nossos sentidos e os nossos pensamentos estão todos ligados ao funcionamento do cérebro. Na morte, o cérebro para de funcionar. As nossas recordações, sentimentos e sentidos não continuam a funcionar de modo independente, de alguma maneira misteriosa. Eles não sobrevivem à destruição do cérebro.

O QUE REALMENTE ACONTECE NA MORTE?

[5] O que acontece na morte não é mistério para Jeová, o Criador do cérebro. Ele sabe a verdade e, na sua Palavra, a Bíblia, ele explica a condição dos mortos. O ensino claro da Bíblia é: *quando uma pessoa morre, ela deixa de existir.* A morte é o oposto da vida. Os mortos não veem, não ouvem nem pensam. Nenhuma parte de nós sobrevive à morte do corpo. Nós não possuímos uma alma ou espírito imortal.*

[6] Depois de mencionar que os vivos sabem que vão morrer, Salomão escreveu: "Mas os mortos não sabem *absolutamente nada.*" Daí ele ampliou essa verdade básica dizendo que os mortos não podem amar nem odiar e que "não há trabalho, nem planejamento, nem conhecimento, nem sabedoria na Sepultura". **(Leia Eclesiastes 9:5, 6, 10.)**

---

* Para um estudo das palavras "alma" e "espírito", veja o Apêndice, páginas 208-211.

---

4. Que conceito básico muitas religiões têm a respeito da morte?
5, 6. O que a Bíblia ensina a respeito da condição dos mortos?

Também o Salmo 146:4 diz que, quando uma pessoa morre, "os seus pensamentos se acabam". Nós somos mortais e não sobrevivemos à morte do corpo. A nossa vida é como a chama de uma vela. Quando a chama se apaga, ela não *vai* para nenhum lugar. Ela simplesmente acaba.

Para onde foi a chama?

O QUE JESUS DISSE A RESPEITO DA MORTE

7 Jesus Cristo falou a respeito da condição dos mortos. Fez isso por ocasião da morte de Lázaro, um homem que ele conhecia bem. Jesus disse aos seus discípulos: "Lázaro, nosso amigo, adormeceu." Os discípulos pensaram que Jesus queria dizer que Lázaro estava dormindo, recuperando-se de uma doença. Eles estavam enganados. Jesus explicou: "Lázaro morreu." **(Leia João 11:11-14.)** Note que Jesus comparou a morte ao sono. Lázaro não estava no céu nem num inferno de fogo. Ele não estava se juntando a anjos nem a antepassados. Tampouco renasceu como outra pessoa. Lázaro estava no descanso da morte, como que num sono profundo, sem sonhos. Outros textos também comparam a morte ao sono. Por exemplo, quando o discípulo Estêvão foi apedrejado até morrer, a Bíblia diz que ele "adormeceu na morte". (Atos 7:60) O apóstolo Paulo também escreveu a respeito de alguns que em seus dias haviam "adormecido na morte". — 1 Coríntios 15:6.

8 Será que originalmente Deus queria que as pessoas morressem? De modo algum! Jeová fez o homem para

---

7. A que Jesus comparou a morte?
8. Como sabemos que Deus não queria que as pessoas morressem?

viver na Terra por toda a eternidade. Como já vimos neste livro, Deus colocou o primeiro casal humano num agradável paraíso. Ele os abençoou com saúde perfeita. Jeová só queria o bem deles. Será que um pai ou mãe amorosos gostariam que seus filhos sofressem as aflições da velhice e da morte? Naturalmente que não! Jeová amava seus filhos e desejava que vivessem felizes para sempre na Terra. A Bíblia diz a respeito dos humanos: 'Jeová pôs até mesmo eternidade no coração deles.' (Eclesiastes 3:11) Deus nos criou

Jeová fez os humanos para viverem na Terra por toda a eternidade

com o desejo de viver para sempre. E ele abriu o caminho para que esse desejo se realize.

POR QUE AS PESSOAS MORREM

[9] Por que, então, as pessoas morrem? Para encontrar a resposta, temos de considerar o que aconteceu quando havia apenas um homem e uma mulher na Terra. A Bíblia explica: "Jeová Deus fez brotar do solo todo tipo de árvores de aspecto agradável e boas para alimento." (Gênesis 2:9) No entanto, havia uma restrição. Jeová disse a Adão: "De toda árvore do jardim, você pode comer à vontade. Mas, quanto à árvore do conhecimento do que é bom e do que é mau, não coma dela, porque, no dia em que dela comer, você certamente morrerá." (Gênesis 2:16, 17) Essa ordem não era difícil de obedecer. Havia muitas outras árvores cujos frutos Adão e Eva podiam comer. Mas foi-lhes dada uma oportunidade especial de mostrar gratidão Àquele que lhes havia dado tudo, incluindo a vida perfeita. Por obedecerem, eles mostrariam também que respeitavam a autoridade de seu Pai celestial e que desejavam sua direção amorosa.

[10] Infelizmente, o primeiro casal humano escolheu desobedecer a Jeová. Falando por meio duma serpente, Satanás perguntou a Eva: "Foi isso mesmo que Deus disse, que vocês não devem comer de toda árvore do jardim?" Eva respondeu: "Podemos comer do fruto das árvores do jardim. Mas, sobre o fruto da árvore que está no meio do jardim, Deus disse: 'Não comam dele, não, nem toquem nele; do contrário, vocês morrerão.'" — Gênesis 3:1-3.

[11] "Vocês certamente não morrerão", disse Satanás. "Deus sabe que, no mesmo dia em que comerem dele,

---

9. Que restrição Jeová impôs a Adão, e por que essa ordem não era difícil de obedecer?
10, 11. (a) O que levou o primeiro casal humano a desobedecer a Deus? (b) Por que a desobediência de Adão e Eva era um assunto sério?

seus olhos se abrirão e vocês serão como Deus, sabendo o que é bom e o que é mau." (Gênesis 3:4, 5) Satanás queria fazer com que Eva acreditasse que ela se beneficiaria de comer do fruto proibido. Segundo ele, ela poderia decidir por si mesma o que era certo e o que era errado; poderia fazer o que bem entendesse. Satanás alegou também que Jeová havia mentido a respeito das consequências de comer do fruto. Eva acreditou em Satanás. Assim, apanhou o fruto e comeu. Em seguida, deu dele ao marido, que também comeu. Eles não agiram por ignorância. Sabiam que estavam fazendo exatamente o que Deus lhes dissera que *não* fizessem. Por comerem o fruto, eles desobedeceram de propósito a uma ordem simples e razoável. Mostraram

Adão veio do pó, e voltou para o pó

desprezo por seu Pai celestial e sua autoridade. Não havia desculpa para esse desrespeito pelo seu amoroso Criador!

[12] Para ilustrar: como se sentiria se criasse com todo carinho um filho ou uma filha que depois lhe desobedecesse, demonstrando desrespeito e falta de amor por você? Isso lhe causaria muita mágoa. Imagine, então, quanta tristeza Jeová deve ter sentido quando tanto Adão como Eva decidiram se opor a ele.

[13] Jeová não tinha motivos para manter Adão e Eva vivos para sempre. Eles morreram, exatamente como Deus disse que aconteceria. Adão e Eva deixaram de existir. Eles não passaram para o domínio espiritual. Sabemos disso por causa daquilo que Jeová disse a Adão quando lhe cobrou uma explicação a respeito de sua desobediência: "Você [voltará] ao solo, pois dele foi tirado. Porque você é pó e ao pó voltará." (Gênesis 3:19) Deus havia feito Adão do pó do solo. (Gênesis 2:7) Antes disso, ele não existia. Assim, quando Jeová disse que Adão voltaria ao pó, queria dizer que ele voltaria ao estado de não existência. Adão ficaria sem vida, como o pó do qual havia sido feito.

[14] Adão e Eva poderiam estar vivos hoje, mas eles morreram porque preferiram desobedecer a Deus e, desse modo, pecaram. O motivo por que morremos é que tanto a inclinação pecaminosa de Adão como a morte foram transmitidas a todos os seus descendentes. **(Leia Romanos 5:12.)** Esse pecado é como uma terrível doença herdada, da qual ninguém pode escapar. Sua consequência, a morte, é uma maldição. A morte é inimiga, não amiga. (1 Coríntios 15:26) Podemos ser muito gratos de que Jeová providenciou o resgate para nos livrar desse terrível inimigo.

---

12. O que pode nos ajudar a entender como Jeová se sentiu quando Adão e Eva decidiram se opor a ele?
13. O que Jeová disse que aconteceria com Adão quando ele morresse, e o que isso significa?
14. Por que nós morremos?

É BOM SABER A VERDADE A RESPEITO DA MORTE

[15] O que a Bíblia ensina sobre a condição dos mortos é consolador. Como vimos, os mortos não sofrem dor nem angústia. Não há motivo para ter medo deles, pois não podem nos prejudicar. Eles não precisam de nossa ajuda, nem podem nos ajudar. Não podemos falar com eles, e eles não podem falar conosco. Muitos líderes religiosos afirmam falsamente que podem ajudar os mortos, e as pessoas que acreditam nesses líderes os pagam para que façam isso. Mas saber a verdade evita sermos enganados pelos que ensinam essas mentiras.

[16] Será que os ensinos de sua religião a respeito dos mortos estão de acordo com a Bíblia? Os da maioria das religiões não estão. Por quê? Porque seus ensinos têm sido influenciados por Satanás. Ele usa a religião falsa para fazer as pessoas acreditarem que, depois da morte do corpo, elas continuarão a viver no domínio espiritual. Trata-se de uma mentira que Satanás associa com outras mentiras a fim de afastar as pessoas de Jeová. Como assim?

[17] Como já mencionado, muitas religiões ensinam que, se a pessoa for má, após a morte irá para um lugar de tormento eterno no fogo. Esse ensino desonra a Deus. Jeová é um Deus de amor e jamais faria com que as pessoas sofressem desse jeito. **(Leia 1 João 4:8.)** O que você pensaria de um homem que, para castigar uma criança desobediente, pusesse a mão dela no fogo? Respeitaria tal homem? Teria vontade de conhecê-lo? Definitivamente não! Você com certeza o acharia muito cruel. No entanto, Satanás quer nos fazer crer que Jeová tortura pessoas no fogo para sempre — por incontáveis bilhões de anos!

---

15. Por que é consolador saber a verdade a respeito da morte?
16. Quem tem influenciado os ensinos de muitas religiões, e de que modo?
17. Por que o ensino do tormento eterno desonra a Jeová?

[18] Satanás também usa algumas religiões para ensinar que, após a morte, as pessoas se transformam em espíritos que os vivos precisam respeitar e honrar. De acordo com esse ensino, os espíritos dos mortos podem tornar-se amigos poderosos ou inimigos terríveis. Muitos acreditam nessa mentira. Eles têm medo dos mortos e prestam-lhes honra e adoração. Em contraste com isso, a Bíblia ensina que os mortos estão dormindo e que devemos adorar somente o Deus verdadeiro, Jeová, nosso Criador e Provisor. — Apocalipse 4:11.

[19] Saber a verdade a respeito dos mortos evita que sejamos enganados por mentiras religiosas. Também nos ajuda a entender outros ensinos bíblicos. Por exemplo, quando entendemos que as pessoas não passam para o domínio espiritual ao morrerem, a promessa de vida eterna num paraíso terrestre assume um significado real para nós.

[20] Muito tempo atrás, Jó, um homem justo, perguntou: "Quando um homem morre, pode ele viver novamente?" (Jó 14:14) Pode uma pessoa sem vida, que esteja dormindo na morte, ser trazida de volta à vida? O que a Bíblia ensina sobre isso é muito consolador, conforme mostrará o próximo capítulo.

---

18. A adoração dos mortos baseia-se em que mentira religiosa?
19. Saber a verdade a respeito da morte nos ajuda a entender que outro ensino bíblico?
20. Que assunto consideraremos no próximo capítulo?

O QUE A BÍBLIA ENSINA

- Os mortos não podem ver, ouvir nem pensar. — Eclesiastes 9:5.
- Os mortos estão dormindo; eles não sofrem. — João 11:11.
- Nós morremos porque herdamos o pecado de Adão. — Romanos 5:12.

CAPÍTULO SETE

Esperança segura para seus entes queridos falecidos

Como sabemos que a ressurreição vai realmente acontecer?

Como Jeová se sente com respeito à ressurreição dos mortos?

Quem será ressuscitado?

IMAGINE que você esteja fugindo de um inimigo cruel. Ele é muito mais forte e veloz do que você. Você sabe que ele não tem compaixão, pois já o viu matar alguns de seus amigos. Por mais que tente se afastar dele, ele ainda continua se aproximando. Parece não haver esperança. Daí, de repente, surge um libertador ao seu lado. Ele é muito mais poderoso do que seu inimigo e promete ajudá-lo. Quanto alívio isso lhe dá!

2 Em certo sentido, você *está* sendo perseguido por um inimigo assim. Todos nós estamos. Como vimos no capítulo anterior, a Bíblia chama a morte de "inimigo". Nenhum de nós pode fugir ou livrar-se dele. A maioria de nós tem visto esse inimigo tirar a vida de pessoas que amamos. Mas Jeová é muito mais poderoso do que a morte. Ele é o amoroso Libertador, que já provou que pode derrotar esse inimigo, a morte. E promete destruí-lo de uma vez por todas. A Bíblia ensina: "O último inimigo a ser reduzido a nada é a morte." (1 Coríntios 15:26) Essa é uma boa notícia!

1-3. Que inimigo persegue a todos nós, e por que nos dará certo alívio considerar o que a Bíblia ensina?

[3] Vejamos brevemente como o ataque desse inimigo nos afeta. Isso nos ajudará a entender algo que nos alegrará. Como sabemos, Jeová promete que os mortos viverão de novo. (Isaías 26:19) Serão trazidos de volta à vida. Essa é a esperança da ressurreição.

QUANDO MORRE UM ENTE QUERIDO

[4] Você já perdeu um ente querido na morte? A dor, o pesar e os sentimentos de desamparo podem parecer insuportáveis. Nessas ocasiões, temos de buscar o consolo da Palavra de Deus. **(Leia 2 Coríntios 1:3, 4.)** A Bíblia nos ajuda a entender como Jeová e Jesus se sentem a respeito da morte. Jesus, que refletiu com perfeição as qualidades de seu Pai, conheceu a dor de perder uma pessoa amada. (João 14:9) Quando estava em Jerusalém, Jesus costumava visitar Lázaro e suas irmãs, Maria e Marta, que moravam na vizinha cidade de Betânia. Eles se tornaram grandes amigos. A Bíblia diz: "Jesus amava Marta, a irmã dela e Lázaro." (João 11:5) Mas, como vimos no capítulo anterior, Lázaro morreu.

[5] Como Jesus reagiu à perda de seu amigo? O relato diz que ele foi visitar os parentes e amigos de Lázaro, que choravam a sua morte. Vendo-os, Jesus ficou muito comovido. Ele "se comoveu profundamente e ficou aflito". Daí, segundo o relato, "Jesus começou a chorar". (João 11:33, 35) Será que o pesar de Jesus significava que ele não tinha esperança? De modo algum. Na verdade, Jesus sabia que algo maravilhoso estava para acontecer. (João 11:3, 4) Mesmo assim, ele sentiu a dor e a tristeza que a morte causa.

---

4. (a) Em que sentido a reação de Jesus à morte de uma pessoa amada nos ensina algo a respeito dos sentimentos de Jeová? (b) Que amizade especial Jesus desenvolveu?
5, 6. (a) Como Jesus reagiu quando esteve com a família e os amigos de Lázaro, que choravam a sua morte? (b) Por que o pesar de Jesus é animador para nós?

[6] De certo modo, o pesar de Jesus é animador para nós. Ensina-nos que ele e seu Pai, Jeová, odeiam a morte. Mas Jeová é capaz de enfrentar e derrotar esse inimigo! Vejamos o que ele capacitou Jesus a fazer.

"LÁZARO, VENHA PARA FORA!"

[7] Lázaro havia sido sepultado numa caverna, e Jesus pediu que a pedra que fechava a entrada fosse removida. Marta não concordou com isso porque depois de quatro dias o corpo de Lázaro já devia estar em decomposição. (João 11:39) Do ponto de vista humano, que esperança havia?

[8] A pedra foi afastada, e Jesus bradou: "Lázaro, venha para fora!" O que aconteceu? "O homem que estava morto saiu." (João 11:43, 44) Pode imaginar a alegria das pessoas ali? Não importava se Lázaro era irmão, parente, amigo ou vizinho delas. Elas sabiam que ele tinha morrido. No entanto, ali estava ele — a mesma pessoa amada — no meio delas outra vez. Isso deve ter parecido bom demais para ser verdade. Muitos sem dúvida abraçaram Lázaro com enorme alegria. Que vitória sobre a morte!

[9] Jesus não disse que realizaria esse espantoso milagre por si mesmo. Em sua oração, pouco antes de chamar Lázaro, ele deixou claro que a Fonte da ressurreição era Jeová. **(Leia João 11:41, 42.)** Essa não foi a única vez que Jeová usou seu poder dessa maneira. A ressurreição de Lázaro é apenas um dos nove milagres desse tipo registrados na Palavra de Deus.* Ler e estudar esses relatos é um prazer. Eles

---

* Os outros relatos se encontram em 1 Reis 17:17-24; 2 Reis 4:32-37; 13:20, 21; Mateus 28:5-7; Lucas 7:11-17; 8:40-56; Atos 9:36-42 e 20:7-12.

7, 8. Por que a situação de Lázaro podia parecer sem esperança para observadores humanos, mas o que Jesus fez?
9, 10. (a) Como Jesus revelou a Fonte de seu poder para ressuscitar Lázaro? (b) Quais são alguns dos benefícios de ler os relatos bíblicos de ressurreições?

O apóstolo Pedro ressuscitou uma cristã chamada Dorcas. — Atos 9:36-42

Elias ressuscitou o filho de uma viúva. — 1 Reis 17:17-24

A ressurreição de Lázaro resultou em enorme alegria. — João 11:38-44

mostram que Deus não é parcial, pois entre os ressuscitados houve jovens e idosos, homens e mulheres, israelitas e não israelitas. E quanta alegria esses relatos descrevem! Por exemplo, quando Jesus ressuscitou certa mocinha, seus pais "não conseguiram se conter de tanta alegria". (Marcos 5:42) Jeová lhes dera uma causa para alegria que jamais esqueceriam.

10 Naturalmente, aqueles que foram ressuscitados por Jesus por fim morreram de novo. Significa isso que foi inútil ressuscitá-los? De modo algum. Esses relatos bíblicos confirmam verdades importantes e nos dão esperança.

O QUE NOS ENSINAM OS RELATOS DE RESSURREIÇÕES

11 A Bíblia ensina que "os mortos não sabem absolutamente nada". (Eclesiastes 9:5) Eles não estão vivos e não têm existência consciente em nenhum lugar. O relato sobre Lázaro confirma isso. Quando ele voltou a viver, será que emocionou as pessoas com descrições sobre como é o céu? Ou será que as aterrorizou com histórias horríveis sobre um inferno de fogo? Não. Na Bíblia não há nada que indique que Lázaro tenha dito algo assim. Durante os quatro dias em que esteve morto, ele não sabia "absolutamente nada". Lázaro simplesmente dormia na morte. —João 11:11.

12 O relato de Lázaro também nos ensina que a ressurreição é uma realidade, não um simples mito. Jesus ressuscitou Lázaro à vista de uma multidão de testemunhas. Até mesmo os líderes religiosos, que odiavam Jesus, não negaram esse milagre. Em vez disso, disseram: "O que

---

11. De que modo o relato da ressurreição de Lázaro ajuda a confirmar a verdade registrada em Eclesiastes 9:5?
12. Por que podemos ter certeza de que a ressurreição de Lázaro realmente ocorreu?

faremos, visto que esse homem [Jesus] realiza muitos sinais?" (João 11:47) Muitas pessoas foram ver o homem ressuscitado. Em resultado disso, ainda mais pessoas passaram a ter fé em Jesus. Para elas, Lázaro era uma prova viva de que Jesus havia sido enviado por Deus. Essa evidência era tão forte que alguns líderes judaicos insensíveis planejaram matar tanto Jesus como Lázaro. — João 11:53; 12:9-11.

13 Será que é irrealístico aceitar a ressurreição como fato? Não, pois Jesus ensinou que um dia "todos os que estão nos túmulos memoriais" serão ressuscitados. (João 5:28) Jeová é o Criador de toda forma de vida. É difícil crer que ele possa recriar a vida? Naturalmente, muito depende da memória de Jeová. Será que ele pode se lembrar de nossos entes queridos falecidos? Incontáveis trilhões de estrelas povoam o Universo, no entanto, Deus sabe o nome de cada uma delas! (Isaías 40:26) Portanto, Jeová Deus pode lembrar-se de nossos entes queridos falecidos nos mínimos detalhes, e ele está pronto para trazê-los de volta à vida.

14 Mas como Jeová se sente a respeito de ressuscitar os mortos? A Bíblia ensina que ele está ansioso para fazer isso. Jó, um homem fiel, perguntou: "Quando um homem morre, pode ele viver novamente?" Jó se referia a esperar na sepultura até o dia em que Deus se lembrasse dele. Ele disse a Jeová: "Tu chamarás, e eu te responderei. Terás saudades do trabalho das tuas mãos." — Jó 14:13-15.

15 Pense nisso! Jeová está ansioso para trazer os mortos de volta à vida. Não é animador saber que Jeová tem esse desejo? Mas como será essa futura ressurreição? Quem será ressuscitado, e para viver onde?

---

13. Que base temos para crer que Jeová realmente pode ressuscitar os mortos?
14, 15. Conforme exemplificado pelo que Jó disse, como Jeová se sente a respeito de ressuscitar os mortos?

"TODOS OS QUE ESTÃO NOS TÚMULOS MEMORIAIS"

[16] Os relatos da Bíblia a respeito de ressurreições nos ensinam muito sobre como será a futura ressurreição. As pessoas que foram ressuscitadas aqui na Terra voltaram a viver com seus entes queridos. A futura ressurreição será semelhante — porém muito melhor. Como vimos no Capítulo 3, o propósito de Deus é que a Terra toda se torne um paraíso. Portanto, os mortos não serão ressuscitados num mundo cheio de guerras, crimes e doenças. Eles terão a oportunidade de viver para sempre na Terra em condições pacíficas e felizes.

[17] Quem será ressuscitado? Jesus disse que "*todos* os que estão nos túmulos memoriais ouvirão a voz dele [de Jesus] e sairão". (João 5:28, 29) Similarmente, Apocalipse 20:13 diz: "O mar entregou os mortos nele, e a morte e a Sepultura entregaram os mortos nelas." (Veja o Apêndice, páginas 212-213.) Essa sepultura coletiva será esvaziada. Todos os bilhões que descansam ali viverão de novo. O apóstolo Paulo disse: "Haverá uma ressurreição tanto de justos como de injustos." (Atos 24:15) O que significa isso?

[18] Os "justos" incluem muitas pessoas mencionadas na Bíblia que viveram antes de Jesus ter vindo à Terra. Você talvez pense em Noé, Abraão, Sara, Moisés, Rute, Ester e muitos outros. Hebreus, capítulo 11, refere-se a alguns desses homens e mulheres de fé. Mas os "justos" incluem também os servos de Jeová que morrem em nossos dias. Graças à esperança da ressurreição, não precisamos ter medo da morte. — Hebreus 2:15.

---

16. Os mortos serão ressuscitados para viver sob que condições?
17. Qual será o alcance da ressurreição?
18. Quem está incluído entre os "justos" que serão ressuscitados, e que efeito essa esperança pode ter em você?

19 Que dizer de todas aquelas pessoas que não serviram nem obedeceram a Jeová porque não o conheceram? Esses bilhões de "injustos" não serão esquecidos. Eles também serão ressuscitados e terão tempo para aprender sobre o Deus verdadeiro e servi-lo. Durante um período de mil anos, os mortos serão ressuscitados e receberão a oportunidade de se juntar aos fiéis humanos na Terra em servir a Jeová. Será um tempo maravilhoso. A Bíblia chama esse período de Dia do Julgamento.*

20 Significa isso que todos os humanos que já viveram serão ressuscitados? Não. A Bíblia diz que alguns mortos estão na "Geena". (Lucas 12:5) O nome Geena origina-se de um depósito de lixo que ficava fora da Jerusalém antiga. Cadáveres e lixo eram queimados ali. Os mortos cujos corpos eram lançados naquele lugar eram considerados, pelos judeus, indignos de sepultamento e ressurreição. Assim, Geena é símbolo apropriado de destruição eterna. Jesus terá uma participação no julgamento dos vivos e dos mortos, mas o Juiz final será Jeová. (Atos 10:42) Ele jamais ressuscitará aqueles que considerar maus e incorrigíveis.

RESSURREIÇÃO PARA A VIDA NO CÉU

21 A Bíblia menciona também outro tipo de ressurreição, para a vida como criatura espiritual no céu. Ela registra apenas um exemplo desse tipo de ressurreição, a de Jesus Cristo.

22 Depois de Jesus ter sido morto como humano, Jeová não permitiu que esse Filho fiel permanecesse na Sepultura.

---

* Para mais informações sobre o Dia do Julgamento e a base para o julgamento, veja o Apêndice, páginas 213-215.

---

19. Quem são os "injustos", e que oportunidade Jeová bondosamente lhes dará?
20. O que é Geena, e quem vai para lá?
21, 22. (a) Que outro tipo de ressurreição existe? (b) Quem foi o primeiro a se beneficiar de uma ressurreição para a vida espiritual?

(Salmo 16:10; Atos 13:34, 35) Deus o ressuscitou, mas não como humano. O apóstolo Pedro explica que Cristo foi "morto na carne, mas recebeu vida no espírito". (1 Pedro 3:18) Isso foi realmente um grande milagre. Jesus estava vivo de novo como poderosa pessoa espiritual! **(Leia 1 Coríntios 15:3-6.)** Ele foi o primeiro a se beneficiar desse glorioso tipo de ressurreição, mas não seria o único. — João 3:13.

[23] Sabendo que logo voltaria para o céu, Jesus disse a seus seguidores fiéis que lhes 'prepararia um lugar'. (João 14:2) A esses que iriam para o céu Jesus chamou de "pequeno rebanho". (Lucas 12:32) De quantos se comporia esse grupo relativamente pequeno de cristãos fiéis? De acordo com Apocalipse 14:1, o apóstolo João diz: "Vi o Cordeiro [Jesus Cristo] em pé no monte Sião, e com ele 144.000, que têm o nome dele e o nome do seu Pai escritos na testa."

[24] Esses 144 mil cristãos, incluindo os apóstolos fiéis de Jesus, são ressuscitados para a vida no céu. Quando ocorre a ressurreição deles? O apóstolo Paulo escreveu que ocorreria durante o período da presença de Cristo. (1 Coríntios 15:23) Como veremos no Capítulo 9, vivemos agora nesse período. Assim, os poucos remanescentes dos 144 mil que morrem em nossos dias são ressuscitados instantaneamente para a vida no céu. (1 Coríntios 15:51-55) A vasta maioria da humanidade, porém, tem a perspectiva de ser ressuscitada no futuro para viver na Terra paradisíaca.

[25] Podemos ter absoluta certeza de que Jeová derrotará o nosso inimigo, a morte — e para sempre! **(Leia Isaías 25:8.)** Mas talvez se pergunte: 'O que os ressuscitados para viver no céu farão ali?' Eles farão parte de um maravilhoso governo do Reino no céu. Veremos mais sobre esse governo no próximo capítulo.

23, 24. Quem faz parte do "pequeno rebanho" de Jesus, e quantos fazem parte desse rebanho?
25. O que será considerado no próximo capítulo?

O QUE A BÍBLIA ENSINA

- Os relatos da Bíblia sobre ressurreições nos dão uma esperança segura. — João 11:39-44.
- Jeová está ansioso para trazer os mortos de volta à vida. — Jó 14:13-15.
- Todos os que estão na sepultura comum da humanidade serão ressuscitados. — João 5:28, 29.

No Paraíso, os mortos serão ressuscitados e reunidos a seus entes queridos

CAPÍTULO OITO

O que é o Reino de Deus?

O que a Bíblia diz sobre o Reino de Deus?

O que o Reino de Deus fará?

Quando o Reino fará com que a vontade de Deus seja feita na Terra?

MILHÕES de pessoas ao redor do mundo conhecem a oração chamada Pai-Nosso ou Padre-Nosso. Ambos os nomes se referem a um famoso modelo de oração fornecido pelo próprio Jesus Cristo. É uma oração muito significativa, e uma análise dos três primeiros pedidos feitos nela nos ajudará a saber mais sobre o que a Bíblia realmente ensina.

[2] No início dessa oração-modelo, Jesus instruiu seus ouvintes: "Orem do seguinte modo: 'Pai nosso, que estás nos céus, santificado seja o teu nome. Venha o teu Reino. Seja feita a tua vontade, como no céu, assim também na terra.' " (Mateus 6:9-13) O que significam esses três pedidos?

[3] Já consideramos muitas coisas a respeito do nome de Deus, Jeová. E, até certo ponto, já vimos qual é a Sua vontade — o que ele tem feito e ainda fará pela humanidade. Mas a que Jesus se referia quando nos ensinou a orar: "Venha o teu Reino"? O que é o Reino de Deus? De que modo a sua vinda santificará, ou tornará santo, o nome de Deus? E que relação tem a vinda do Reino com fazer a vontade de Deus?

---

1. Que famosa oração analisaremos agora?
2. Cite três das coisas pelas quais Jesus ensinou seus discípulos a orar.
3. O que é preciso saber a respeito do Reino de Deus?

O QUE É O REINO DE DEUS?

[4] O Reino de Deus é um governo estabelecido por Jeová Deus, tendo como Rei alguém escolhido por ele. Quem é o Rei do Reino de Deus? Jesus Cristo. Como Rei, ele é maior do que qualquer governante humano e é chamado de "Rei dos que reinam e Senhor dos que dominam". (1 Timóteo 6:15) Ele tem o poder de produzir muito mais benefícios do que *qualquer* governante humano, mesmo o melhor deles.

[5] De onde o Reino de Deus vai governar? Bem, onde está Jesus agora? Você com certeza se lembra de que ele foi morto numa estaca e, em seguida, ressuscitado. Pouco tempo depois, subiu ao céu. (Atos 2:33) Portanto, é ali que se localiza o Reino de Deus — no céu. É por isso que a Bíblia o chama de "Reino celestial". (2 Timóteo 4:18) Embora o Reino de Deus se localize no céu, ele dominará a Terra. — **Leia Apocalipse 11:15.**

[6] O que faz de Jesus um Rei notável? Um dos fatores é que ele jamais morrerá. Comparando Jesus com reis humanos, a Bíblia se refere a ele como o "único que tem imortalidade, que mora em luz inacessível". (1 Timóteo 6:16) Isso significa que todo o bem que Jesus realizará será permanente. E ele *fará* grandes e boas coisas.

[7] Considere a seguinte profecia bíblica a respeito de Jesus: "O espírito de Jeová estará sobre ele, o espírito de sabedoria e de entendimento, o espírito de conselho e de poder, o espírito de conhecimento e do temor de Jeová. E ele terá prazer no temor de Jeová. Ele não julgará pelas aparências, nem repreenderá simplesmente pelo que ouve. Ele julgará os de condição humilde com justiça, e

---

4. O que é o Reino de Deus, e quem é seu Rei?
5. De onde o Reino de Deus vai governar, e o que dominará?
6, 7. O que faz de Jesus um Rei notável?

dará repreensão com retidão em benefício dos mansos da terra." (Isaías 11:2-4) Essas palavras mostram que Jesus governará as pessoas na Terra como Rei justo e compassivo. Você não gostaria de ter um governante assim?

[8] Outra verdade a respeito do Reino de Deus é que Jesus não governará sozinho. Ele terá governantes associados. Por exemplo, o apóstolo Paulo disse a Timóteo: "Se continuarmos perseverando, também reinaremos com ele." (2 Timóteo 2:12) Sim, Paulo, Timóteo e outros fiéis escolhidos por Deus governarão com Jesus no Reino celestial. Quantos terão esse privilégio?

[9] Como vimos no Capítulo 7 deste livro, o apóstolo João observou numa visão "o Cordeiro [Jesus Cristo] em pé no monte Sião [sua posição como Rei no céu], e com ele 144.000, que têm o nome dele e o nome do seu Pai escritos na testa". Quem são esses 144 mil? O próprio João informa: "Esses são os que estão seguindo o Cordeiro para onde quer que ele vá. Foram comprados dentre a humanidade como primícias para Deus e para o Cordeiro." (Apocalipse 14:1, 4) Sim, eles são seguidores fiéis de Jesus Cristo, escolhidos especialmente para governar com ele no céu. Depois de serem ressuscitados para a vida celestial, eles "reinarão sobre a terra" junto com Jesus. (Apocalipse 5:10) Desde os dias dos apóstolos, Deus seleciona cristãos fiéis para completar o número de 144 mil.

[10] Providenciar que Jesus e os 144 mil governem a humanidade é muito amoroso. Um dos motivos é que Jesus sabe o que significa ser humano e sofrer. Paulo disse sobre Jesus: "Não temos um sumo sacerdote inca-

---

8. Quem governará com Jesus?
9. Quantos reinarão com Jesus, e quando Deus começou a selecioná-los?
10. Por que é amoroso que Jesus e os 144 mil governem a humanidade?

paz de compreender as nossas fraquezas, mas temos um que foi provado em todos os sentidos como nós, porém sem pecado." (Hebreus 4:15; 5:8) Seus governantes associados também sofreram e suportaram provações como humanos. Além disso, lutaram com a imperfeição e enfrentaram todo tipo de doença. Certamente, eles vão entender os problemas que os humanos enfrentam!

O QUE O REINO DE DEUS FARÁ?

[11] Quando Jesus disse que seus discípulos deviam orar pela vinda do Reino de Deus, ele disse também que deviam orar para que a vontade de Deus fosse feita "como no céu, assim também na terra". Deus está no céu, e sua vontade sempre tem sido feita ali pelos anjos fiéis. No Capítulo 3 deste livro, porém, vimos que um anjo mau deixou de fazer a vontade de Deus e fez com que Adão e Eva pecassem. No Capítulo 10, veremos mais sobre o que a Bíblia ensina a respeito desse anjo mau, conhecido como Satanás, o Diabo. Satanás e as criaturas angélicas que escolheram segui-lo — chamadas de demônios — tiveram permissão de permanecer no céu por algum tempo. Assim, nem todos no céu faziam a vontade de Deus naquele tempo. Isso mudaria quando o Reino de Deus começasse a operar. O recém-entronizado Rei, Jesus Cristo, travaria guerra contra Satanás. — **Leia Apocalipse 12:7-9.**

[12] As seguintes palavras proféticas descrevem o que aconteceria: "Ouvi uma voz alta no céu dizer: 'Agora se realizou a salvação, o poder e o Reino do nosso Deus, e a autoridade do seu Cristo, porque foi lançado para baixo o acusador dos nossos irmãos [Satanás], que os acusa dia

---

11. Por que Jesus disse que seus discípulos deviam orar para que a vontade de Deus fosse feita no céu?
12. Que dois eventos importantes são mencionados em Apocalipse 12:10?

e noite perante o nosso Deus!' " (Apocalipse 12:10) Observou dois eventos muito importantes mencionados nesse versículo bíblico? Primeiro, o Reino de Deus, governado por Jesus Cristo, começa a operar. Segundo, Satanás é expulso do céu "para baixo", à Terra.

[13] Quais foram os resultados desses dois eventos? A respeito do que ocorreu no céu, lemos: "Por essa razão, alegrem-se, ó céus, e vocês que residem neles!" (Apocalipse 12:12) Os anjos fiéis no céu se alegraram porque, com a expulsão de Satanás e seus demônios, todos no céu agora eram fiéis a Jeová Deus. Passou a predominar ali uma perfeita e inquebrantável paz e harmonia. A vontade de Deus passou a ser feita no céu.

[14] Mas que dizer da Terra? A Bíblia diz: "Ai da terra e do mar, porque o Diabo desceu a vocês com grande ira, pois sabe que lhe resta pouco tempo." (Apocalipse 12:12) Satanás está furioso por ter sido expulso do céu e saber que lhe resta pouco tempo. Cheio de ira, ele causa desgraças na Terra. Veremos mais sobre isso no próximo capítulo. Mas, pensando nisso, podemos perguntar: Como o Reino fará com que a vontade de Deus seja feita na Terra?

[15] Lembra-se qual é a vontade de Deus para a Terra? Vimos isso no Capítulo 3. No Éden, Deus mostrou que sua vontade é que a Terra se torne um paraíso habitado por uma raça humana justa e não sujeita à morte. Satanás fez com que Adão e Eva pecassem, o que afetou o cumprimento do propósito de Deus para a Terra — mas não o mudou. O objetivo de Jeová ainda é que 'os justos possuam a terra e vivam nela para sempre'. (Salmo 37:29) O Reino de Deus realizará isso. Como?

---

13. Quais foram os resultados da expulsão de Satanás do céu?
14. O que resultou da expulsão de Satanás "para baixo", à Terra?
15. Qual é o propósito de Deus para a Terra?

[16] Considere a profecia em Daniel 2:44. Lemos ali: "Nos dias desses reis, o Deus do céu estabelecerá um reino que jamais será destruído. E esse reino não passará para as mãos de nenhum outro povo. Vai esmigalhar e pôr um fim a todos esses reinos, e somente ele permanecerá para sempre." O que isso nos diz a respeito do Reino de Deus?

[17] Primeiro, que o Reino de Deus seria estabelecido "nos dias desses reis", ou seja, enquanto outros reinos, ou governos, ainda existissem. Segundo, que o Reino será eterno. Não será vencido e substituído por outro governo. Terceiro, que haverá guerra entre o Reino de Deus e os reinos deste mundo. O Reino de Deus será vitorioso. No fim, será o único governo que a humanidade terá. Com isso, os humanos terão o melhor governo de todos os que já existiram.

[18] A Bíblia tem muito a dizer sobre a guerra final entre o Reino de Deus e os governos deste mundo. Por exemplo, ela ensina que, com a aproximação dessa guerra, os espíritos maus espalharão mentiras para enganar os "reis de toda a terra habitada". Com que objetivo? Reunir esses reis "para a guerra do grande dia de Deus, o Todo-Poderoso". Os reis da Terra serão reunidos "no lugar que em hebraico se chama Armagedom". (Apocalipse 16:14, 16) À base do que se diz nesses versículos, o conflito final entre os governos humanos e o Reino de Deus se chama guerra do Armagedom.

[19] O que o Reino de Deus realizará por meio da guerra do Armagedom? Lembre-se de qual era a vontade de

---

16, 17. O que Daniel 2:44 diz sobre o Reino de Deus?
18. Qual é o nome da guerra final entre o Reino de Deus e os governos deste mundo?
19, 20. Por que a vontade de Deus ainda não está sendo feita na Terra?

Deus para a Terra. Ele desejava que ela fosse inteiramente habitada por uma raça humana perfeita que o servisse num paraíso. Por que isso já não acontece agora? Primeiro, porque somos pecaminosos, adoecemos e morremos. Vimos no Capítulo 5, porém, que Jesus morreu por nós para que pudéssemos viver para sempre. É provável que você se lembre destas palavras no Evangelho de João: "Deus amou tanto o mundo, que deu o seu Filho unigênito, para que todo aquele que nele exercer fé não seja destruído, mas tenha vida eterna." — João 3:16.

[20] Outro problema é que muitas pessoas fazem coisas más. Elas mentem, trapaceiam e cometem imoralidade. Não *querem* fazer a vontade de Deus. Pessoas que praticam coisas más serão destruídas no Armagedom, a guerra de Deus. **(Leia Salmo 37:10.)** Ainda outra razão pela qual a vontade de Deus não está sendo feita na Terra é que os governos não incentivam o povo a fazer isso. Muitos governos têm sido fracos, cruéis ou corruptos. A Bíblia diz francamente: "Homem domina homem para o seu prejuízo." — Eclesiastes 8:9.

[21] Depois do Armagedom, a humanidade terá um só governo, o Reino de Deus. Esse Reino fará a vontade de Deus e produzirá bênçãos maravilhosas. Por exemplo, removerá Satanás e seus demônios. (Apocalipse 20:1-3) Será aplicado o poder do sacrifício de Jesus, de modo que os humanos fiéis não vão mais adoecer e morrer. Em vez disso, sob o governo do Reino eles poderão viver para sempre. **(Leia Apocalipse 22:1-3.)** A Terra será transformada num paraíso. Assim, o Reino fará com que a vontade de Deus seja feita na Terra e santificará o seu nome. O que significa isso? Significa que, por fim, no

---

21. Como o Reino de Deus fará com que se faça a vontade de Deus na Terra?

A expulsão de Satanás e seus demônios do céu tem causado desgraças na Terra. Essas aflições acabarão em breve

governo do Reino de Deus, todos os que então viverem honrarão o nome de Jeová.

QUANDO O REINO DE DEUS AGIRÁ?

[22] O fato de Jesus ter dito a seus seguidores que orassem pela vinda do Reino deixa claro que esse Reino ainda não havia chegado naquele tempo. Será que chegou então quando Jesus subiu ao céu? Não, pois tanto Pedro como Paulo disseram que foi após a ressurreição de Jesus que se cumpriu nele a profecia do Salmo 110:1: "Jeová declarou ao meu Senhor: 'Sente-se à minha direita, até que eu ponha os seus inimigos debaixo dos seus pés.' " (Atos 2:32-35; Hebreus 10:12, 13) Houve um período de espera.

[23] Quanto tempo duraria esse período de espera? Nos séculos 19 e 20, sinceros estudantes da Bíblia discerniram gradualmente que esse período terminaria em 1914. (A respeito dessa data, veja o Apêndice, páginas 215-218.) Os acontecimentos mundiais desde 1914 confirmam que o entendimento daqueles sinceros estudantes da Bíblia esta-

---

22. Como sabemos que o Reino de Deus não veio quando Jesus esteve na Terra ou logo depois de ter sido ressuscitado?
23. (a) Quando o Reino de Deus começou a operar? (b) O que será considerado no próximo capítulo?

No governo do Reino, a vontade de Deus será feita na Terra assim como é feita no céu

O QUE A BÍBLIA ENSINA

- O Reino de Deus é um governo celestial tendo Jesus Cristo como Rei e, dentre a humanidade, 144 mil são escolhidos para governar com ele. — Apocalipse 14:1, 4.
- O Reino começou a governar em 1914, ocasião em que Satanás foi lançado "para baixo", à Terra. — Apocalipse 12:9.
- O Reino de Deus em breve destruirá os governos humanos, e a Terra se tornará um paraíso. — Apocalipse 16:14, 16.

va certo. O cumprimento de profecias bíblicas mostra que em 1914 Cristo tornou-se Rei, e o Reino celestial de Deus começou a operar. Portanto, estamos vivendo no "pouco tempo" que resta para Satanás. (Apocalipse 12:12; Salmo 110:2) Pode-se também dizer com certeza que o Reino de Deus agirá em breve para fazer com que a vontade de Deus seja feita na Terra. Acha isso uma excelente notícia? Acredita que seja verdade? O próximo capítulo ajudará você a ver que a Bíblia realmente ensina essas coisas.

CAPÍTULO NOVE

Estamos vivendo nos "últimos dias"?

Que acontecimentos atuais foram preditos na Bíblia?

O que a Palavra de Deus diz sobre como seriam as pessoas nos "últimos dias"?

Que coisas boas a Bíblia prediz a respeito dos "últimos dias"?

VOCÊ tem acompanhado as notícias na televisão? Já se perguntou: 'O que está acontecendo com este mundo?' Coisas trágicas acontecem de modo tão repentino e inesperado que nenhum ser humano pode prever como será o dia de amanhã. (Tiago 4:14) No entanto, Jeová conhece o futuro. (Isaías 46:10) Há muito tempo, a sua Palavra, a Bíblia, predisse não apenas as coisas ruins que acontecem hoje, mas também as coisas maravilhosas que ocorrerão no futuro próximo.

[2] Jesus Cristo falou a respeito do Reino de Deus, que acabará com a maldade e fará da Terra um paraíso. (Lucas 4:43) Seus ouvintes queriam saber quando viria esse Reino. De fato, os discípulos de Jesus perguntaram-lhe: "Qual será o sinal da sua presença e do final do sistema de coisas?" (Mateus 24:3) Em resposta, Jesus disse-lhes que apenas Jeová sabia exatamente quando viria o fim deste sistema mundial. (Mateus 24:36) No entanto, Jesus predisse coisas

1. Onde podemos aprender sobre o futuro?
2, 3. Que pergunta os discípulos fizeram a Jesus, e que resposta ele deu?

que ocorreriam na Terra pouco antes de o Reino trazer verdadeira paz e segurança à humanidade. O que ele predisse tem acontecido!

[3] Antes de examinarmos as evidências de que estamos vivendo no "final do sistema de coisas", consideremos brevemente uma guerra que nenhum ser humano poderia observar. Ela ocorreu no domínio espiritual invisível, e seu desfecho nos afeta.

UMA GUERRA NO CÉU

[4] O capítulo anterior deste livro explicou que Jesus Cristo se tornou Rei, no céu, no ano de 1914. **(Leia Daniel 7:13, 14.)** Assim que recebeu o poder do Reino, Jesus agiu. "Irrompeu uma guerra no céu", diz a Bíblia. "Miguel [outro nome de Jesus] e os seus anjos batalharam contra o dragão [Satanás, o Diabo], e o dragão e os seus anjos batalharam."* Satanás e seus anjos maus, os demônios, perderam a guerra e foram expulsos do céu para a Terra. Os fiéis filhos espirituais de Deus se alegraram com a expulsão de Satanás e seus demônios. Os humanos, porém, não teriam essa alegria. Em vez disso, a Bíblia predisse: "Ai da terra . . . porque o Diabo desceu a vocês com grande ira, pois sabe que lhe resta pouco tempo." — Apocalipse 12:7, 9, 12.

[5] Note o que resultaria da guerra no céu. Na sua ira, Satanás provocaria aflições, ou dificuldades, aos habitantes da Terra. Como veremos, estamos vivendo agora nesse período de aflições. Mas será relativamente breve — apenas "pouco tempo". Até mesmo Satanás sabe disso. A Bíblia se refere a esse período como "últimos dias". (2 Timóteo 3:1)

---

* Para informações que indicam que Miguel é outro nome de Jesus Cristo, veja o Apêndice, páginas 218-219.

4, 5. (a) O que ocorreu no céu logo após Jesus ter sido entronizado como Rei? (b) De acordo com Apocalipse 12:12, o que resultaria da guerra no céu?

Como é bom saber que Deus em breve vai livrar a Terra da influência do Diabo! Vejamos algumas das coisas preditas na Bíblia que acontecem nos nossos tempos. Elas provam que estamos vivendo nos últimos dias e que o Reino de Deus em breve trará bênçãos eternas para os que amam a Jeová. Primeiro, examinemos quatro aspectos do sinal que, segundo Jesus, marcaria a época em que vivemos.

PRINCIPAIS ACONTECIMENTOS DOS ÚLTIMOS DIAS

6 *"Nação se levantará contra nação e reino contra reino."* (Mateus 24:7) Milhões de pessoas foram mortas em guerras nos últimos cem anos. Um historiador britânico escreveu: "O século 20 foi o mais 'assassino' na história registrada. . . . Foi um século de guerras quase ininterruptas, com apenas poucos e curtos períodos sem que houvesse em algum lugar um conflito armado, organizado." Um relatório do Instituto Worldwatch diz: "O número de vítimas fatais das guerras [no século 20] foi três vezes maior do que o de todas as guerras juntas desde o primeiro século AD até 1899." Mais de 100 milhões de pessoas morreram em

6, 7. De que modo se cumprem hoje as palavras de Jesus a respeito de guerras e da falta de alimentos?

resultado de guerras desde 1914. Mesmo que saibamos por experiência própria como é triste perder *um* ente querido na guerra, não podemos nem imaginar a enormidade do sofrimento e da dor multiplicados *milhões* de vezes.

7 *"Haverá falta de alimentos."* (Mateus 24:7) Segundo os pesquisadores, a produção de alimentos aumentou muito nos últimos 30 anos. No entanto, a falta de alimentos continua porque muitos não têm dinheiro para comprá-los ou terras para cultivá-los. Nos países em desenvolvimento, bem mais de 1 bilhão de pessoas tem de viver com uma renda de um dólar, ou menos, por dia. A maioria delas sofre de fome crônica. A Organização Mundial da Saúde avalia que a desnutrição é um dos fatores principais na morte de mais de 5 milhões de crianças por ano.

8 *"Haverá grandes terremotos."* (Lucas 21:11) De acordo com o Serviço de Pesquisa Geológica dos EUA, a previsão é que ocorra uma média de 19 grandes terremotos por ano. Eles são fortes o bastante para danificar prédios e rachar o solo. E, em média, todos os anos ocorrem terremotos

---

8, 9. O que indica que as profecias de Jesus a respeito de terremotos e pestilências têm se cumprido?

suficientemente fortes para causar destruição total de prédios. Os dados disponíveis mostram que terremotos têm causado mais de 2 milhões de mortes desde 1900. Certa fonte declara: "As melhorias tecnológicas reduziram apenas um pouco o número de mortes."

[9] *"Haverá . . . pestilências."* (Lucas 21:11) Apesar dos avanços da medicina, antigas e novas doenças afligem a humanidade. Certo relatório diz que 20 doenças bem conhecidas — como a tuberculose, a malária e a cólera — tornaram-se mais comuns em décadas recentes, e certos tipos de doença são cada vez mais difíceis de curar com os remédios disponíveis. De fato, surgiram pelo menos 30 doenças novas. Algumas não têm cura conhecida e são fatais.

CARACTERÍSTICAS DAS PESSOAS NOS ÚLTIMOS DIAS

[10] Além de prever certos acontecimentos mundiais, a Bíblia predisse também que os últimos dias seriam marcados por uma mudança na sociedade humana. O apóstolo Paulo descreveu como seriam as pessoas em geral. Ele disse: "Nos últimos dias haverá tempos críticos, difíceis

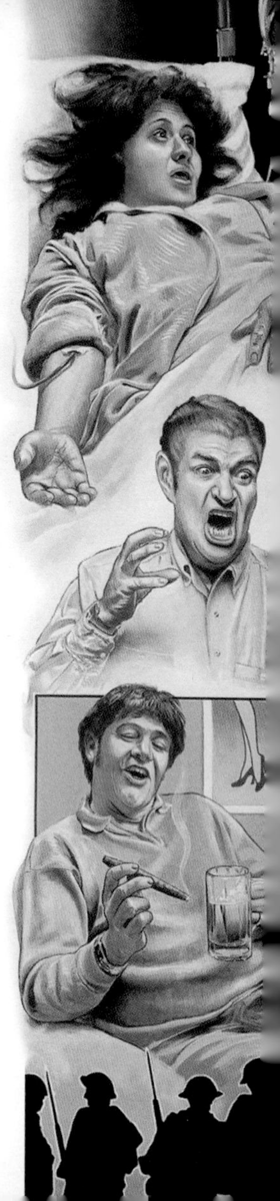

10. Que características preditas em 2 Timóteo 3:1-5 você observa nas pessoas hoje?

de suportar." (**Leia 2 Timóteo 3:1-5.**) Paulo disse que as pessoas

- *só amariam a si mesmas*
- *amariam o dinheiro*
- *seriam desobedientes aos pais*
- *seriam desleais*
- *seriam desnaturadas*
- *seriam sem autodomínio*
- *seriam ferozes*
- *amariam os prazeres em vez de a Deus*
- *manteriam uma aparência de devoção a Deus, a qual não exerceria nenhum poder nas suas vidas*

11 Será que as pessoas em geral são assim onde você mora? Sem dúvida. Em toda a parte há pessoas com características ruins. Isso indica que Deus agirá em breve, pois a Bíblia diz: "Quando os maus brotam como erva, e todos os malfeitores florescem, é para serem aniquilados para sempre." — Salmo 92:7.

ACONTECIMENTOS POSITIVOS

12 Os últimos dias sem dúvida estão cheios de aflições, exatamente como

---

11. Como o Salmo 92:7 descreve o que acontecerá com os maus?
12, 13. De que modo o "conhecimento verdadeiro" se tornou abundante neste "tempo do fim"?

a Bíblia predisse. Neste mundo turbulento, porém, há acontecimentos positivos entre os adoradores de Jeová.

[13] *"O conhecimento verdadeiro se tornará abundante"*, predisse o livro bíblico de Daniel. Quando isso aconteceria? Durante "o tempo do fim". (Daniel 12:4) Especialmente desde 1914, Jeová tem ajudado os que de fato desejam servi-lo a entender cada vez melhor a Bíblia. Eles têm aumentado seu apreço pelas verdades preciosas a respeito do nome e dos propósitos de Deus, do sacrifício de resgate de Jesus Cristo, da condição dos mortos e da ressurreição. Além disso, os adoradores de Jeová têm aprendido a viver de um modo que os beneficia e resulta em honra para Deus. Eles também passaram a entender mais claramente o papel do Reino de Deus e como este vai endireitar as coisas na Terra. Como eles usam esse conhecimento? Essa pergunta nos leva ainda a outra profecia que se cumpre nestes últimos dias.

[14] *"Estas boas novas do Reino serão pregadas em toda a terra habitada"*, disse Jesus Cristo na sua profecia a respeito do "final do sistema de coisas". **(Leia Mateus 24:3, 14.)** As boas novas do Reino — o que é esse Reino, o que ele fará e como podemos receber suas bênçãos — estão sendo pregadas em toda a Terra, em mais de 230 países e territórios, e em centenas de línguas. Milhões de Testemunhas de Jeová pregam zelosamente essas boas novas. Elas procedem de "todas as nações, tribos, povos e línguas". (Apocalipse 7:9) Dirigem gratuitamente estudos bíblicos em domicílio com milhões de pessoas que desejam saber o que a Bíblia realmente ensina. Que impressionante cumprimento de profecia, em especial levando-se em conta que Jesus predisse que os cristãos verdadeiros seriam "odiados por todos"! — Lucas 21:17.

---

14. Até que ponto estão sendo pregadas hoje as boas novas do Reino, e quem as está pregando?

"Estas boas novas do
Reino serão pregadas
em toda a terra habitada."
— Mateus 24:14
WATCHTOWER
AN OBSERVANCE
That Affects You

O QUE VOCÊ FARÁ?

[15] Visto que tantas profecias bíblicas estão se cumprindo hoje, você não concorda que estamos vivendo nos últimos dias? Depois que as boas novas tiverem sido pregadas o suficiente, segundo a decisão de Jeová, o "fim" virá com certeza. (Mateus 24:14) O "fim" se refere ao dia em que Deus acabará com a maldade na Terra. Para destruir todos os que voluntariamente se opõem a ele, Jeová usará Jesus e anjos poderosos. (2 Tessalonicenses 1:6-9) Satanás e seus demônios não mais desencaminharão as nações. Depois disso, o Reino de Deus derramará bênçãos sobre todos os que se submetem ao seu governo justo. — Apocalipse 20:1-3; 21:3-5.

[16] Visto que o fim do sistema de Satanás se aproxima, cada um deveria se perguntar: 'O que devo fazer?' É sábio continuar a aprender sobre Jeová e seus requisitos para nós. (João 17:3) Seja um esforçado estudante da Bíblia. Crie o hábito de associar-se com outros que procuram fazer a vontade de Jeová. **(Leia Hebreus 10:24, 25.)** Conheça a Jeová por meio do estudo de Sua Palavra, e faça as necessárias mudanças na vida a fim de ter o favor de Deus. — Tiago 4:8.

[17] Jesus predisse que a maioria das pessoas desprezaria a evidência de que estamos vivendo nos últimos dias. A destruição dos maus virá de modo súbito e inesperado. Como um ladrão de noite, pegará a maioria das pessoas de surpresa. **(Leia 1 Tessalonicenses 5:2.)** Jesus alertou: "Assim como eram os dias de Noé, assim será a presença do Filho do Homem. Porque naqueles dias antes do dilúvio as

---

15. (a) Você acredita que estamos vivendo nos últimos dias? Por quê? (b) O que o "fim" significará para os opositores de Jeová e para os que se submetem ao governo do Reino de Deus?
16. O que seria sábio fazer?
17. Por que a destruição dos maus pegará a maioria das pessoas de surpresa?

pessoas comiam e bebiam, os homens se casavam e as mulheres eram dadas em casamento, até o dia em que Noé entrou na arca, e não fizeram caso, até que veio o dilúvio e varreu a todos eles; assim será na presença do Filho do Homem." — Mateus 24:37-39.

18 Portanto, Jesus disse a seus ouvintes: "Prestem atenção a si mesmos, para que o seu coração nunca fique sobrecarregado com o excesso no comer e no beber e com as ansiedades da vida, e de repente aquele dia os apanhe de surpresa, como uma armadilha. Pois ele virá sobre todos os que moram na face de toda a terra. Portanto, mantenham-se despertos, fazendo todo o tempo súplicas para que consigam escapar de todas essas coisas que têm de ocorrer e consigam ficar em pé [aprovados] diante do Filho do Homem." (Lucas 21:34-36) É sábio levar a sério as palavras de Jesus. Por quê? Porque aqueles que são aprovados por Jeová Deus e pelo "Filho do Homem", Jesus Cristo, têm a perspectiva de sobreviver ao fim do sistema de Satanás e viver para sempre no maravilhoso novo mundo tão próximo! — João 3:16; 2 Pedro 3:13.

---

18. Que alerta de Jesus devemos levar a sério?

O QUE A BÍBLIA ENSINA

- Os últimos dias são marcados por guerras, falta de alimentos, terremotos e epidemias. — Mateus 24:7; Lucas 21:11.
- Nos últimos dias, muitos amam só a si mesmos, o dinheiro e os prazeres, mas não amam a Deus. — 2 Timóteo 3:1-5.
- Nestes últimos dias, as boas novas do Reino estão sendo pregadas no mundo inteiro. — Mateus 24:14.

CAPÍTULO DEZ

Criaturas espirituais — como nos afetam?

Será que os anjos ajudam as pessoas?

Como os espíritos maus têm influenciado os humanos?

Precisamos ter medo dos espíritos maus?

CONHECER uma pessoa normalmente inclui aprender algo sobre a família dessa pessoa. Do mesmo modo, conhecer a Jeová Deus inclui conhecer também sua família angélica. A Bíblia chama os anjos de "filhos de Deus". (Jó 38:7) Assim, que lugar os anjos ocupam no propósito de Deus? Desempenham algum papel na história humana? Será que afetam a sua vida? Em caso afirmativo, como?

2 A Bíblia menciona anjos centenas de vezes. Vejamos algumas dessas referências, para aprendermos mais a respeito deles. Qual é a origem dos anjos? Colossenses 1:16 diz: "Por meio dele [Jesus Cristo] foram criadas todas as outras coisas nos céus e na terra." Assim, todas as criaturas espirituais chamadas anjos foram criadas individualmente por Jeová Deus por meio de seu Filho primogênito. Quantos anjos existem? A Bíblia indica que foram criados centenas de milhões de anjos, e todos são poderosos. — Salmo 103:20.*

---

* A respeito dos anjos justos, Apocalipse 5:11 diz: "O número deles era de miríades de miríades", ou "de dezenas de milhares vezes dezenas de milhares". (Nota) Portanto, a Bíblia realmente indica que foram criados centenas de milhões de anjos.

---

1. Por que devemos desejar aprender a respeito dos anjos?
2. Qual é a origem dos anjos, e quantos deles existem?

[3] A Palavra de Deus, a Bíblia, diz que, quando a Terra foi criada, "todos os filhos de Deus davam gritos de louvor". (Jó 38:4-7) Portanto, os anjos já existiam muito antes da criação dos humanos, até mesmo antes da criação da Terra. Esse texto bíblico mostra também que os anjos têm sentimentos, pois diz que 'juntos gritavam de *alegria*'. Note que "*todos* os filhos de Deus" se alegraram *juntos*. Naquele tempo, todos os anjos pertenciam a uma família unida que servia a Jeová.

APOIO E PROTEÇÃO DE ANJOS

[4] Desde que foram testemunhas da criação dos primeiros humanos, as fiéis criaturas espirituais têm demonstrado profundo interesse no crescimento da família humana e no desenrolar do propósito de Deus. (Provérbios 8:30, 31; 1 Pedro 1:11, 12) Com o passar do tempo, porém, os anjos observaram que a maior parte da família humana havia deixado de servir ao amoroso Criador. Isso sem dúvida entristeceu os anjos fiéis. Por outro lado, cada ser humano que retorna para Jeová é motivo de "alegria entre os anjos". (Lucas 15:10) Visto que eles têm tal interesse profundo no bem-estar dos que servem a Deus, não é de admirar que ele repetidas vezes os tenha usado para fortalecer e proteger seus servos fiéis na Terra. **(Leia Hebreus 1:7, 14.)** Veja alguns exemplos.

[5] Dois anjos ajudaram Ló e suas filhas a sobreviver à destruição das perversas cidades de Sodoma e Gomorra, conduzindo-os para fora daquela área. (Gênesis 19:15, 16) Séculos mais tarde, o profeta Daniel foi lançado numa cova de leões, mas ele não sofreu nenhum dano e disse: "Meu Deus enviou seu anjo e fechou a boca dos leões." (Daniel

---

3. O que Jó 38:4-7 diz a respeito dos anjos?
4. De que modo a Bíblia mostra que os anjos fiéis se interessam pelas atividades humanas?
5. Que exemplos de apoio angélico encontramos na Bíblia?

6:22) No primeiro século EC, um anjo libertou o apóstolo Pedro da prisão. (Atos 12:6-11) Além disso, anjos apoiaram Jesus no início de seu ministério terrestre. (Marcos 1:13) E, pouco antes da morte de Jesus, um anjo apareceu-lhe e "o fortaleceu". (Lucas 22:43) Isso deve ter dado muito revigoramento a Jesus naqueles momentos tão importantes de sua vida.

[6] Hoje em dia, os anjos não aparecem mais de modo visível para o povo de Deus na Terra. Embora sejam invisíveis aos olhos humanos, os poderosos anjos de Deus ainda protegem seu povo, em especial contra qualquer coisa espiritualmente prejudicial. A Bíblia diz: "O anjo de Jeová acampa ao redor dos que O temem, e ele os socorre." (Salmo 34:7) Por que essas palavras devem ser de grande consolo para nós? Porque existem perigosas criaturas espirituais perversas que desejam nos destruir! Quem são elas? De onde se originaram? Como é que tentam nos prejudicar? Para descobrir isso, vejamos brevemente algo que ocorreu no início da história humana.

CRIATURAS ESPIRITUAIS INIMIGAS

[7] Como vimos no Capítulo 3 deste livro, um dos anjos desenvolveu o desejo de governar outros e, assim, rebelou-se contra Deus. Mais tarde, esse anjo ficou conhecido como Satanás, o Diabo. (Apocalipse 12:9) Depois que enganou Eva, nos 16 séculos seguintes Satanás conseguiu afastar de Deus quase todos os humanos, com exceção de alguns fiéis, como Abel, Enoque e Noé. — Hebreus 11:4, 5, 7.

[8] Nos dias de Noé, outros anjos se rebelaram contra

---

6. (a) De que modo os anjos protegem o povo de Deus hoje em dia? (b) Que perguntas consideraremos agora?
7. Até que ponto Satanás conseguiu desviar pessoas de Deus?
8. (a) Como alguns anjos se tornaram demônios? (b) Para sobreviver ao Dilúvio dos dias de Noé, o que os demônios tiveram de fazer?

Jeová. Eles abandonaram seu lugar na família celestial de Deus, vieram à Terra e assumiram corpos carnais. Por quê? Lemos em Gênesis 6:2: "Os filhos do verdadeiro Deus perceberam que as filhas dos homens eram bonitas. E eles tomaram como esposas todas as que escolheram." Mas Jeová não permitiu que as ações desses anjos e a resultante corrupção da humanidade continuassem. Ele causou um dilúvio global sobre a Terra, aniquilou todas as pessoas más e preservou apenas seus servos fiéis. (Gênesis 7:17, 23) Assim, os anjos rebeldes, ou demônios, foram obrigados a abandonar seus corpos carnais e voltar para o céu como

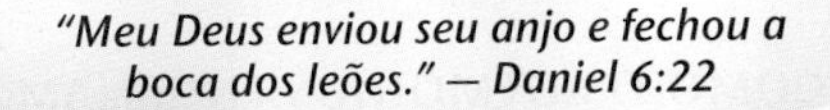

"Meu Deus enviou seu anjo e fechou a boca dos leões." — Daniel 6:22

criaturas espirituais. Eles tinham tomado o lado do Diabo, que desse modo se tornou "governante dos demônios". — Mateus 9:34.

[9] Quando voltaram para o céu, os anjos desobedientes foram tratados como excluídos, como o governante deles, Satanás. (2 Pedro 2:4) Embora estejam agora impossibilitados de assumir corpos humanos, eles ainda exercem uma péssima influência sobre os humanos. De fato, com a ajuda desses demônios, Satanás "está enganando toda a terra habitada". (Apocalipse 12:9; 1 João 5:19) Como? Os demônios usam, em especial, métodos que visam enganar as pessoas. **(Leia 2 Coríntios 2:11.)** Vejamos alguns desses métodos.

COMO OS DEMÔNIOS ENGANAM

[10] Para enganar as pessoas, os demônios usam o ocultismo. O ocultismo envolve contato com os demônios, tanto de modo direto como por meio de alguém que invoca espíritos. A Bíblia condena o ocultismo e nos alerta que evitemos qualquer coisa relacionada com ele. (Gálatas 5:19-21) Os demônios usam o ocultismo assim como os pescadores usam a isca. O pescador usa diferentes iscas para pegar diferentes tipos de peixe. Do mesmo modo, os espíritos maus usam diferentes formas de ocultismo para trazer todo tipo de pessoas sob sua influência.

[11] Um tipo de isca que os demônios usam é a adivinhação. O que é adivinhação? É uma tentativa de saber alguma coisa a respeito do futuro ou de algo desconhecido. Existem várias formas de adivinhação, como astrologia, uso de cartas de tarô ou de bolas de cristal, quiromancia

---

9. (a) O que aconteceu com os demônios quando voltaram para o céu? (b) O que consideraremos a respeito dos demônios?
10. O que é ocultismo?
11. O que é adivinhação, e por que devemos evitá-la?

Os demônios usam vários meios de enganar as pessoas

e busca de presságios, ou sinais, misteriosos nos sonhos. Embora muitos pensem que praticar a adivinhação é inofensivo, a Bíblia mostra que os adivinhos e os espíritos maus trabalham juntos. Por exemplo, Atos 16:16-18 menciona "um demônio de adivinhação" que capacitava uma jovem a praticar adivinhação. Mas ela perdeu essa capacidade quando o demônio foi expulso dela.

[12] Outro modo de os demônios enganarem as pessoas é por incentivá-las a consultar os mortos. Pessoas que choram a perda de um ente querido muitas vezes são enganadas com ideias falsas a respeito dos mortos. Alguém que invoca espíritos pode dar informações especiais ou falar usando uma voz que pareça ser a de um falecido. Com isso, muitos se convencem de que os mortos estão de fato vivos e que contatá-los ajudará os vivos a suportar a tristeza. Mas qualquer "consolo" desse tipo é realmente falso, além de perigoso. Por quê? Porque os demônios podem imitar a

---

12. Por que é perigoso tentar se comunicar com os mortos?

COMO RESISTIR AOS ESPÍRITOS MAUS
Livre-se de objetos ligados ao ocultismo
Estude a Bíblia
Ore a Deus

voz de uma pessoa morta e dar a alguém que invoca espíritos informações a respeito dela. (1 Samuel 28:3-19) Além do mais, como vimos no Capítulo 6, os mortos deixam de existir. (Salmo 115:17) Assim, 'quem consulta os mortos' é enganado pelos espíritos maus e age contrário à vontade de Deus. (**Leia Deuteronômio 18:10, 11**; Isaías 8:19) Portanto, esteja determinado a rejeitar essa perigosa isca usada pelos demônios.

13 Os espíritos maus não apenas enganam, mas também apavoram as pessoas. Hoje, Satanás e seus demônios sabem que lhes resta "pouco tempo" antes de serem colocados fora de ação, e eles são agora mais perversos do que nunca. (Apocalipse 12:12, 17) Mesmo assim, milhares de pessoas que viviam diariamente com pavor desses espíritos maus conseguiram se libertar. Como? O que a pessoa pode fazer, mesmo se já estiver envolvida com o ocultismo?

COMO RESISTIR AOS ESPÍRITOS MAUS

14 A Bíblia diz como podemos resistir aos espíritos maus e como nos libertar deles. Veja o exemplo dos cristãos do primeiro século na cidade de Éfeso. Alguns deles praticavam o ocultismo antes de se tornarem cristãos. Quando decidiram libertar-se do ocultismo, o que fizeram? A Bíblia diz: "Um bom número dos que haviam praticado artes mágicas juntaram seus livros e os queimaram diante de todos." (Atos 19:19) Por destruírem seus livros de magia, aqueles novos cristãos deram um exemplo para aqueles que desejam resistir aos espíritos maus hoje em dia. Pessoas que desejam servir a Jeová precisam livrar-se de todas as coisas ligadas ao ocultismo. Isso inclui livros, revistas, filmes, pôsteres e músicas que incentivam a prática do ocultismo e fazem-no parecer atraente e emocionante.

---

13. O que conseguiram fazer muitos que antes temiam os demônios?
14. Assim como os cristãos do primeiro século em Éfeso, como podemos nos libertar dos espíritos maus?

Inclui também amuletos ou outros itens usados para proteção contra o mal. — 1 Coríntios 10:21.

[15] Alguns anos depois de os cristãos em Éfeso terem destruído seus livros de magia, o apóstolo Paulo escreveu-lhes: "*Temos* uma luta . . . contra as forças espirituais malignas." (Efésios 6:12) Os demônios não haviam desistido. Eles ainda tentavam aproveitar-se dos humanos. Assim, o que mais aqueles cristãos tinham de fazer? "Além de tudo isso", disse Paulo, "usem o grande escudo da fé, com o qual poderão apagar todas as flechas ardentes do Maligno [Satanás]". (Efésios 6:16) Quanto mais forte for o nosso escudo da fé, maior será a nossa resistência às forças espirituais perversas. — Mateus 17:20.

[16] Como, então, podemos fortalecer a nossa fé? Pelo estudo da Bíblia. A firmeza de uma muralha depende muito da solidez de sua fundação. Do mesmo modo, a firmeza de nossa fé depende muito da solidez de sua base, que é o conhecimento exato da Palavra de Deus, a Bíblia. Se lermos e estudarmos a Bíblia diariamente, a nossa fé ficará firme. Como uma muralha forte, tal fé nos protegerá contra a influência de espíritos maus. — 1 João 5:5.

[17] Que outra medida aqueles cristãos em Éfeso tinham de tomar? Eles precisavam de mais proteção, pois viviam numa cidade cheia de demonismo. Assim, Paulo lhes disse: 'Com toda forma de oração e súplica, em todas as ocasiões, continuem orando no espírito.' (Efésios 6:18) Visto que nós também vivemos num mundo cheio de demonismo, orar com fervor a Jeová pedindo sua proteção é essencial para resistir aos espíritos maus. Naturalmente, temos de usar o nome de Jeová nas nossas orações. **(Leia Provérbios 18:10.)** Assim, temos de persistir em orar a Deus para que

---

15. Para resistir às forças espirituais perversas, o que temos de fazer?
16. Como podemos fortalecer a nossa fé?
17. Que medida é necessária para resistir aos espíritos maus?

ele 'nos livre do Maligno', Satanás, o Diabo. (Mateus 6:13) Jeová atenderá essas orações sinceras. — Salmo 145:19.

18 Os espíritos maus são perigosos, mas não precisaremos viver com medo deles se resistirmos ao Diabo e nos achegarmos a Deus fazendo a sua vontade. **(Leia Tiago 4:7, 8.)** O poder dos espíritos maus é limitado. Eles foram punidos nos dias de Noé e receberão a condenação final no futuro. (Judas 6) Lembre-se, também, que nós temos a proteção dos poderosos anjos de Jeová. (2 Reis 6:15-17) Esses anjos estão muito interessados em ver que resistimos com êxito aos espíritos maus. Os anjos justos torcem por nós, por assim dizer. Portanto, devemos permanecer achegados a Jeová e à sua família de fiéis criaturas espirituais. É preciso evitar também todo tipo de ocultismo e sempre aplicar os conselhos da Palavra de Deus. (1 Pedro 5:6, 7; 2 Pedro 2:9) Nesse caso, podemos ter certeza da vitória na luta contra as criaturas espirituais perversas.

19 Mas por que Deus tem tolerado os espíritos maus e a perversidade, que causam tanto sofrimento às pessoas? Essa pergunta será respondida no próximo capítulo.

18, 19. (a) Por que podemos ter certeza da vitória na luta contra as criaturas espirituais perversas? (b) Que pergunta será respondida no próximo capítulo?

O QUE A BÍBLIA ENSINA

- Os anjos fiéis socorrem os que servem a Jeová. — Hebreus 1:7, 14.
- Satanás e seus demônios estão enganando as pessoas e afastando-as de Deus. — Apocalipse 12:9.
- Se você fizer a vontade de Deus e resistir ao Diabo, Satanás fugirá de você. — Tiago 4:7, 8.

CAPÍTULO ONZE

Por que Deus permite o sofrimento?

Foi Deus quem causou o sofrimento no mundo?

Que questão surgiu no jardim do Éden?

Como Deus vai desfazer os efeitos do sofrimento humano?

DEPOIS de uma batalha terrível num país afligido pela guerra, os milhares de civis mortos — mulheres e crianças — foram enterrados numa vala comum, cercada de cruzes. Em cada cruz havia a inscrição: "Por quê?" Às vezes, essa é a pergunta mais dolorosa. As pessoas fazem essa pergunta com tristeza quando a guerra, um desastre natural, uma doença ou o crime tiram a vida de seus entes queridos inocentes, destroem sua casa ou de outras maneiras lhes causam sofrimento indescritível. Elas querem saber por que sofrem tais tragédias.

[2] Por que Deus permite o sofrimento? Se Jeová é todo-poderoso, amoroso, sábio e justo, por que o mundo está tão cheio de ódio e injustiça? Você já se perguntou sobre isso?

[3] É errado perguntar por que Deus permite o sofrimento? Alguns temem que fazer essa pergunta signifique falta de fé ou de respeito para com Deus. Ao ler a Bíblia, porém, você verá que pessoas fiéis e tementes a Deus também faziam

---

1, 2. Por que tipos de sofrimento as pessoas passam hoje, levando muitos a fazer que perguntas?

3, 4. (a) O que mostra que não é errado perguntar por que Deus permite o sofrimento? (b) O que Jeová acha da perversidade e do sofrimento?

Jeová acabará com todo o sofrimento

perguntas assim. Por exemplo, o profeta Habacuque perguntou a Jeová: "Por que me fazes ver a maldade? E por que toleras a opressão? Por que há diante de mim destruição e violência? E por que há tantas brigas e conflitos?" — Habacuque 1:3.

4 Será que Jeová repreendeu o fiel profeta Habacuque por ter feito tais perguntas? Não. Em vez disso, ele incluiu as palavras sinceras de Habacuque no inspirado registro bíblico. Deus também o ajudou a entender melhor os assuntos e a aumentar sua fé. Jeová deseja fazer o mesmo por você. Lembre-se, a Bíblia ensina que ele 'cuida de nós'. (1 Pedro 5:7) Muito mais do que qualquer ser humano, Deus odeia a perversidade e o sofrimento. (Isaías 55:8, 9) Por que, então, há tanto sofrimento no mundo?

POR QUE EXISTE TANTO SOFRIMENTO?

5 Pessoas de várias religiões recorrem a seus líderes e instrutores religiosos para saber por que existe tanto sofrimento. A resposta, em geral, é que o sofrimento é da

---

5. Que razões às vezes são dadas para explicar o sofrimento humano, mas o que a Bíblia ensina?

vontade de Deus e que ele há muito tempo determinou tudo o que iria acontecer, incluindo as tragédias. Muitos são informados de que os caminhos de Deus são misteriosos, ou que ele causa a morte de pessoas — até mesmo de crianças — para tê-las junto de si no céu. Mas, como já vimos, Jeová jamais causa o mal. A Bíblia diz: "O verdadeiro Deus jamais faria o que é mau, o Todo-Poderoso nunca faria o que é errado!" — Jó 34:10.

6 Você sabe por que as pessoas cometem o erro de culpar a Deus por todo o sofrimento no mundo? Em muitos casos, elas culpam o Deus Todo-Poderoso porque pensam que ele seja o verdadeiro governante deste mundo. Elas não conhecem uma verdade bíblica simples, porém muito importante. Essa verdade foi considerada no Capítulo 3 deste livro. O verdadeiro governante deste mundo é Satanás, o Diabo.

7 A Bíblia diz claramente: "O mundo inteiro está no poder do Maligno." (1 João 5:19) Pensando bem, não faz sentido isso? Este mundo reflete a personalidade da criatura espiritual invisível que está "enganando toda a terra habitada". (Apocalipse 12:9) Satanás é odioso, enganador e cruel. Portanto, o mundo, sob sua influência, está cheio de ódio, engano e crueldade. Essa é uma das razões de existir tanto sofrimento.

8 Uma segunda razão de existir tanto sofrimento é que, conforme vimos no Capítulo 3, a humanidade é imperfeita e pecadora desde a rebelião no jardim do Éden. Os humanos pecaminosos tendem a lutar por domínio, e isso resulta em guerras, opressão e sofrimento. (Eclesiastes 4:1; 8:9)

---

6. Por que muitos cometem o erro de culpar a Deus pelo sofrimento no mundo?
7, 8. (a) De que modo o mundo reflete a personalidade de seu governante? (b) Como a imperfeição humana e "o tempo e o imprevisto" têm contribuído para o sofrimento?

Uma terceira razão do sofrimento é "o tempo e o imprevisto". **(Leia Eclesiastes 9:11.)** Num mundo sem Jeová como Governante protetor, as pessoas talvez sofram por estarem por acaso no lugar errado, na hora errada.

9 É consolador saber que Deus não causa o sofrimento. Ele não é responsável pelas guerras, pelos crimes, pela opressão, nem mesmo pelos desastres naturais que fazem as pessoas sofrer. Ainda assim, precisamos saber: Por que Jeová permite todo esse sofrimento? Se ele é o Todo-Poderoso, ele tem o poder para impedi-lo. Por que, então, se refreia de agir? O amoroso Deus que conhecemos deve ter um bom motivo para isso. — 1 João 4:8.

SURGE UMA QUESTÃO VITAL

10 Para descobrirmos por que Deus permite o sofrimento, temos de voltar ao tempo em que o sofrimento teve início. Quando Satanás levou Adão e Eva a desobedecer a Jeová, surgiu uma questão importante. Satanás não questionou o *poder* de Jeová. Até mesmo ele sabe que o poder de Jeová é sem limite. Em vez disso, Satanás questionou o *direito de governar* de Deus. Por dizer que Deus é um mentiroso que nega o bem a seus súditos, Satanás acusou Jeová de ser um mau governante. **(Leia Gênesis 3:2-5.)** Ele deu a entender que a humanidade se sairia melhor sem o governo de Deus. Isso foi um ataque à *soberania* de Jeová, ao seu direito de governar.

11 Adão e Eva se rebelaram contra Jeová. Na realidade, é como se tivessem dito: 'Não precisamos de Jeová como Governante. Podemos decidir por nós mesmos o que é certo e o que é errado.' Como Jeová poderia resolver essa questão?

---

9. Por que podemos ter certeza de que Jeová tem um bom motivo para permitir o sofrimento?
10. O que Satanás questionou, e como?
11. Por que Jeová simplesmente não destruiu os rebeldes no Éden?

Será que o aluno é mais qualificado que o professor?

Como poderia ensinar todas as criaturas inteligentes que os rebeldes estavam errados e que Sua maneira de agir é realmente a melhor? Alguns talvez digam que Deus poderia simplesmente ter destruído os rebeldes e começado tudo de novo. Mas Jeová havia declarado seu propósito de povoar a Terra com os descendentes de Adão e Eva, e queria que eles vivessem num paraíso terrestre. (Gênesis 1:28) Jeová *sempre* cumpre seus propósitos. (Isaías 55:10, 11) Além disso, livrar-se dos rebeldes no Éden não teria solucionado a questão levantada quanto ao direito de Jeová governar.

[12] Vejamos uma ilustração. Imagine um professor explicando aos alunos como resolver um problema difícil. Certo aluno esperto, porém rebelde, afirma que a explicação do professor está errada. Insinuando que o professor não é capacitado, esse aluno rebelde afirma que conhece um modo muito melhor de resolver o problema. Alguns na classe acham que ele tem razão e também se rebelam. O que o

---

12, 13. Ilustre por que Jeová permitiu que Satanás se tornasse o governante deste mundo e por que Deus tem permitido que os humanos governem a si mesmos.

professor deve fazer? Se expulsar imediatamente da sala os rebeldes, como isso afetará os outros alunos? Não acharão que o colega rebelde e os que o apoiam estão certos? Todos os outros alunos na classe talvez percam o respeito pelo professor, achando que ele teme que aqueles rebeldes possam provar algum erro. Em vez disso, porém, o professor decide deixar que *ele*, o rebelde, mostre à classe como resolveria o problema.

[13] Jeová fez algo similar ao que fez o professor. Lembre-se de que os rebeldes no Éden não eram os únicos envolvidos. Milhões de anjos observavam o que acontecia. (Jó 38:7; Daniel 7:10) O modo como Jeová lidaria com a rebelião afetaria muito a todos aqueles anjos e, por fim, a toda a criação inteligente. Assim, o que Jeová fez? Ele permitiu que Satanás mostrasse como governaria a humanidade. Permitiu também que os humanos governassem a si mesmos sob a direção de Satanás.

[14] O professor da ilustração acima sabia que o aluno rebelde e os que tomaram seu lado estavam errados. Mas ele sabia também que dar a eles a oportunidade de tentar provar sua alegação beneficiaria a classe inteira. Quando os rebeldes fracassassem, todos os alunos sinceros veriam que o professor era o único qualificado para ensinar a classe. Eles entenderiam quando o professor, depois disso, expulsasse da classe todos os rebeldes. Do mesmo modo, Jeová sabe que todos os humanos e os anjos sinceros se beneficiarão de constatar que Satanás e os outros rebeldes falharam e que os humanos não conseguem governar a si mesmos com êxito. Como Jeremias, na antiguidade, eles aprenderão esta verdade vital: "Bem sei, ó Jeová, que o caminho do homem não pertence a ele. Não cabe ao homem nem mesmo dirigir os seus passos." — Jeremias 10:23.

---

14. A decisão de Jeová de permitir que os humanos governassem a si mesmos resultará em que benefícios?

POR QUE TANTO TEMPO?

[15] Mas por que Jeová permite que o sofrimento continue por tanto tempo? E por que ele não impede que aconteçam coisas ruins? Bem, considere duas coisas que o professor na ilustração *não* faria. Primeiro, ele não impediria que o aluno rebelde apresentasse seus argumentos. Segundo, o professor não ajudaria o rebelde a provar sua alegação. De modo similar, considere duas coisas que Jeová decidiu *não* fazer. Primeiro, ele não impediu que Satanás e seus apoiadores tentassem provar que estão certos. Foi necessário, portanto, conceder tempo para isso. Nos milhares de anos de História, a humanidade tem tido a oportunidade de governar a si mesma, por meio de todo tipo de governo humano. A humanidade fez progresso na ciência e em outros campos, mas o quadro de injustiças, pobreza, crime e guerra piora cada vez mais. Já é *evidente* que o governo humano é um fracasso.

[16] Segundo, Jeová não tem ajudado Satanás a governar este mundo. Se Deus impedisse os crimes horríveis, por exemplo, não estaria ele, na realidade, apoiando a causa dos rebeldes? Será que não estaria levando as pessoas a pensar que os humanos *podem* governar a si mesmos sem resultados desastrosos? Se Jeová agisse assim, seria cúmplice duma mentira. No entanto, "é impossível que Deus minta". — Hebreus 6:18.

[17] Mas que dizer de todos os danos causados durante a longa rebelião contra Deus? Faremos bem em nos lembrar de que Jeová é todo-poderoso. Assim, ele pode e vai desfazer os efeitos do sofrimento da humanidade. Como já vimos, a ruína causada ao nosso planeta será desfeita quando a Terra

---

15, 16. (a) Por que Jeová permite que o sofrimento continue por tanto tempo? (b) Por que Jeová não tem impedido coisas tais como crimes horríveis?

17, 18. O que Jeová fará com respeito a todos os danos resultantes do governo humano e da influência de Satanás?

for transformada num paraíso. Os efeitos do pecado serão removidos por meio da fé no sacrifício de resgate de Jesus, e os efeitos da morte serão anulados por meio da ressurreição. De modo que Deus usará Jesus "para desfazer as obras do Diabo". (1 João 3:8) Jeová fará tudo isso exatamente no tempo certo. Podemos nos alegrar de que ele não tenha agido antes, pois a sua paciência nos tem dado a oportunidade de aprender a verdade e servi-lo. **(Leia 2 Pedro 3:9, 10.)** Enquanto isso, Deus tem procurado ativamente adoradores sinceros, ajudando-os a suportar qualquer sofrimento que lhes sobrevenha neste mundo turbulento. — João 4:23; 1 Coríntios 10:13.

[18] Alguns talvez se perguntem: 'Será que todo esse sofrimento não poderia ter sido evitado se Deus tivesse criado Adão e Eva de um modo que fosse *impossível* se rebelarem?' Para responder a essa pergunta, temos de nos lembrar de uma dádiva preciosa que Jeová nos deu.

COMO VOCÊ USARÁ A DÁDIVA DE DEUS?

[19] Como vimos no Capítulo 5, os humanos foram criados com livre-arbítrio, ou liberdade de escolha. Você se dá conta de como é preciosa essa dádiva? Deus criou inúmeros animais, que são guiados em grande parte pelo instinto. (Provérbios 30:24) O homem constrói robôs que podem ser programados para atender a qualquer comando. Seríamos felizes se Deus nos tivesse criado desse jeito? Não, estamos contentes de poder escolher que tipo de pessoa queremos

---

19. Que dádiva preciosa Jeová nos deu, e por que devemos valorizá-la?

Deus ajudará você a suportar o sofrimento

ser, que proceder na vida seguir, que amizades cultivar e assim por diante. Gostamos muito de ter certa medida de liberdade, e é isso o que Deus quer que tenhamos.

[20] Jeová não está interessado em serviço realizado por obrigação. (2 Coríntios 9:7) Para ilustrar: o que agradaria mais a um pai ou a uma mãe — que o filho dissesse "eu amo você" porque alguém o mandou dizer isso, ou que dissesse isso espontaneamente, de coração? Assim, a pergunta é: Como *você* usará a liberdade de escolha que Jeová lhe deu? Satanás, Adão e Eva fizeram o pior uso possível da liberdade de escolha. Eles rejeitaram a Jeová. O que você fará?

[21] Você tem a oportunidade de usar da melhor maneira possível a dádiva maravilhosa da liberdade de escolha. Poderá juntar-se aos milhões de pessoas que tomaram o lado de Jeová. Elas alegram a Deus porque participam ativamente em provar que Satanás é mentiroso e um lamentável fracasso como governante. (Provérbios 27:11) Você também poderá fazer isso escolhendo o proceder certo na vida. Isso será explicado no próximo capítulo.

20, 21. Como podemos usar da melhor maneira possível a dádiva da liberdade de escolha, e por que devemos fazer isso?

O QUE A BÍBLIA ENSINA

- Deus não é o causador das más condições no mundo. — Jó 34:10.
- Por chamar a Deus de mentiroso e dizer que ele nega o bem a Seus súditos, Satanás questionou o direito de Jeová governar. — Gênesis 3:2-5.
- Jeová usará seu Filho, o Governante do Reino Messiânico, para acabar com todo o sofrimento humano e desfazer seus efeitos. — 1 João 3:8.

CAPÍTULO DOZE

Como viver de um modo que agrade a Deus

Como tornar-se amigo de Deus?

De que modo o desafio de Satanás envolve você?

Que tipo de conduta desagrada a Jeová?

Como você pode viver de um modo que agrade a Deus?

QUE tipo de pessoa você escolheria como amigo ou amiga? Com certeza, gostaria de ter a companhia de alguém que tivesse os mesmos conceitos, interesses e valores que você. Além disso, você se sentiria atraído a uma pessoa que tivesse qualidades excelentes, como honestidade e bondade.

2 Ao longo da História, Deus escolheu certos humanos como amigos achegados. Por exemplo, ele chamou Abraão de amigo. **(Leia Isaías 41:8; Tiago 2:23.)** Deus referiu-se a Davi como 'um homem que agradava ao seu coração', visto que ele era o tipo de pessoa que Jeová ama. (Atos 13:22) E Jeová considerava o profeta Daniel "muito precioso". — Daniel 9:23.

3 Por que Jeová considerava Abraão, Davi e Daniel como amigos seus? Bem, ele disse a Abraão: "Você escutou a minha voz." (Gênesis 22:18) Portanto, Jeová se achega aos que fazem humildemente o que ele lhes pede. "Obedeçam à minha voz", disse ele aos israelitas, "e eu me tornarei o seu Deus, e vocês se tornarão o meu povo". (Jeremias 7:23)

1, 2. Cite exemplos de humanos que Jeová considerava como amigos achegados.
3. Por que Jeová escolhe certos humanos como amigos?

Se obedecer a Jeová, você também poderá tornar-se amigo dele!

JEOVÁ FORTALECE SEUS AMIGOS

[4] Pense no que significa ter amizade com Deus. A Bíblia diz que Jeová procura oportunidades "para mostrar a sua força a favor daqueles que têm o coração pleno para com ele". (2 Crônicas 16:9) Como Jeová pode mostrar sua força a seu favor? Uma das maneiras é mencionada no Salmo 32:8, onde lemos: "Eu [Jeová] darei a você perspicácia e o instruirei no caminho em que deve andar. Eu o aconselharei com os meus olhos fixos em você."

[5] Que comovente expressão dos cuidados de Jeová! Ele lhe dará as necessárias instruções e o protegerá à medida que as colocar em prática. Deus *deseja* ajudá-lo a ser bem-sucedido em provações e testes. **(Leia Salmo 55:22.)** Portanto, se você servir a Jeová de coração pleno, poderá ter a mesma confiança do salmista, que disse: "Mantenho Jeová diante de mim constantemente. Nunca serei abalado, porque ele está à minha direita." (Salmo 16:8; 63:8) De fato, Jeová pode ajudá-lo a viver de um modo que agrade a ele. Mas, como sabe, existe um inimigo de Deus que não quer que você faça isso.

O DESAFIO DE SATANÁS

[6] O Capítulo 11 deste livro explicou como Satanás, o Diabo, desafiou a soberania de Deus. Ele acusou Deus de ter mentido e insinuou que Jeová foi injusto em não permitir que Adão e Eva decidissem por si mesmos o que é certo e o que é errado. Depois que Adão e Eva pecaram, e à medida que a Terra passou a ser povoada por seus descendentes, Satanás questionou a motivação de todos os humanos. 'As pessoas não servem a Deus por amor', alegou ele. 'Dê-me

4, 5. Como Jeová mostra sua força a favor de seu povo?
6. Qual foi a alegação de Satanás a respeito dos humanos?

uma chance e eu porei *qualquer* pessoa contra Deus.' O relato sobre Jó mostra que era nisso que Satanás acreditava. Quem foi Jó, e como ficou envolvido no desafio de Satanás?

[7] Jó viveu cerca de 3.600 anos atrás. Era um homem bom, pois Jeová disse: "Não há ninguém igual a ele na terra. Ele é um homem íntegro e justo, que teme a Deus e rejeita o que é mau." (Jó 1:8) Deus se agradava de Jó.

[8] Satanás questionou a motivação de Jó servir a Deus. Ele disse a Jeová: "Não puseste uma cerca de proteção em volta [de Jó], da sua casa e de tudo o que ele tem? Tu abençoaste o trabalho das suas mãos, e os rebanhos dele se espalham pela terra. Mas agora, levanta a mão e atinge tudo o que ele tem, e com certeza ele te amaldiçoará na tua própria face." – Jó 1:10, 11.

[9] Desse modo, Satanás argumentou que Jó servia a Deus só por causa das coisas que recebia em troca. O Diabo alegou também que, se Jó fosse provado, ele se voltaria contra Deus. Como Jeová reagiu ao desafio de Satanás? Visto que a questão envolvia a motivação de Jó, Jeová permitiu que Satanás o provasse. Assim, o amor de Jó a Deus – ou a falta dele – ficaria claramente demonstrado.

JÓ É PROVADO

[10] Sem demora, Satanás provou Jó de várias maneiras. Alguns dos seus animais foram roubados e outros foram mortos. A maioria dos seus servos foram assassinados. Isso resultou em dificuldade econômica. Outra tragédia se abateu quando os dez filhos de Jó morreram numa forte tempestade. Apesar desses eventos terríveis, porém, "Jó não pecou nem acusou Deus de fazer algo errado". – Jó 1:22.

7, 8. (a) O que fez com que Jó se destacasse entre os humanos de seu tempo? (b) De que modo Satanás questionou a motivação de Jó?
9. Como Jeová reagiu ao desafio de Satanás, e por quê?
10. Que provações Jó sofreu, e como reagiu?

Jó foi recompensado pelo seu proceder fiel

[11] Satanás não desistiu. Ele deve ter pensado que, embora Jó pudesse suportar a perda de seus bens, servos e filhos, ele se revoltaria contra Deus se ficasse doente. Jeová permitiu que Satanás atacasse Jó com uma doença repulsiva e dolorosa. Mas nem isso fez com que Jó perdesse a fé em Deus. Em vez disso, ele declarou enfaticamente: "Até eu morrer não renunciarei à minha integridade!" — Jó 27:5.

[12] Jó não sabia que o causador de suas aflições era Satanás. Não sabendo dos detalhes do desafio que o Diabo havia lançado contra a soberania de Jeová, Jó temia que Deus fosse o causador de seus problemas. (Jó 6:4; 16:11-14) Ainda assim, manteve sua integridade a Jeová. E seu proceder fiel provou que a alegação de Satanás, de que ele servia a Deus por razões egoístas, era falsa!

[13] A fidelidade de Jó forneceu a Jeová uma resposta poderosa ao desafio insultante de Satanás. Jó era realmente amigo de Jeová, e este o recompensou pelo seu proceder fiel. — Jó 42:12-17.

COMO VOCÊ ESTÁ ENVOLVIDO

[14] A questão da integridade a Deus, levantada por Satanás, não se limitou a Jó. Você também está envolvido. Isso é indicado claramente em Provérbios 27:11, onde a Palavra de Jeová diz: "Seja sábio, meu filho, e alegre meu coração, para que eu possa dar uma resposta àquele que me desafia." Essas palavras, escritas centenas de anos depois da morte de Jó, mostram que Satanás ainda desafiava a Deus e acusava Seus servos. Quando vivemos de um modo que agrada a Jeová, nós na realidade ajudamos a refutar as acusações

---

11. (a) Que segunda acusação Satanás fez com relação a Jó, e como Jeová reagiu? (b) Como Jó enfrentou sua dolorosa doença?
12. Que resposta Jó deu ao desafio do Diabo?
13. O que resultou do fato de Jó ter sido fiel a Deus?
14, 15. Por que podemos dizer que o desafio envolvendo Jó se aplica a *todos* os humanos?

falsas de Satanás, alegrando assim o coração de Deus. O que você acha disso? Não seria maravilhoso ajudar a refutar as calúnias do Diabo, mesmo que isso envolva fazer certas mudanças na sua vida?

[15] Note que Satanás disse: "O homem dará tudo o que tem pela sua vida." (Jó 2:4) Por dizer "o homem", Satanás deixou claro que sua acusação não se aplicava apenas a Jó, mas a *todos* os seres humanos. Esse é um ponto muito importante. Satanás questiona a *sua* integridade a Deus. Ele gostaria que você desobedecesse a Deus e abandonasse o proceder correto ao surgirem dificuldades. Como Satanás talvez tente conseguir isso?

[16] Conforme considerado no Capítulo 10, Satanás usa vários métodos para tentar afastar as pessoas de Deus. Por um lado, ele ataca "como um leão que ruge, procurando a quem devorar". (1 Pedro 5:8) Assim, pode-se ver a influência dele quando amigos, parentes ou outros se opõem aos seus esforços de estudar a Bíblia e pôr em prática o que aprende.* (João 15:19, 20) Por outro lado, "Satanás se disfarça de anjo de luz". (2 Coríntios 11:14) Ele pode usar meios sutis para enganar você e seduzi-lo a deixar de ser uma pessoa temente a Deus. Ele pode usar também o desânimo, talvez fazendo com que você pense que não é uma pessoa suficientemente boa para agradar a Deus. (Provérbios 24:10) Quer Satanás aja como "um leão que ruge", quer finja ser "anjo de luz", seu desafio ainda é o mesmo: ele diz que, se você enfrentar provações ou tentações, deixa-

---

* Isso não significa que aqueles que se opõem a você estejam sendo controlados pessoalmente por Satanás. Mas ele é o deus deste mundo, e o mundo inteiro está em seu poder. (2 Coríntios 4:4; 1 João 5:19) Portanto, é de esperar que levar uma vida de temor a Deus seja um proceder impopular e que alguns se oponham a você.

---

16. (a) Que métodos Satanás usa para tentar afastar as pessoas de Deus? (b) Como o Diabo pode usar esses métodos contra você?

rá de servir a Deus. Como encarar esse desafio e provar sua integridade a Deus, como Jó fez?

OBEDIÊNCIA AOS MANDAMENTOS DE JEOVÁ

[17] Você poderá responder ao desafio de Satanás vivendo de um modo que agrade a Deus. O que isso envolve? A Bíblia responde: "Ame a Jeová, seu Deus, de todo o seu coração, de toda a sua alma e de toda a sua força." (Deuteronômio 6:5) À medida que seu amor a Deus aumentar, você desenvolverá um forte desejo de fazer o que ele requer de você. "O amor de Deus significa o seguinte", escreveu o apóstolo João, "que obedeçamos aos seus mandamentos". Se você ama a Jeová de todo o coração, verá que "seus mandamentos não são pesados". — 1 João 5:3.

[18] Quais são os mandamentos de Jeová? Alguns deles envolvem conduta que temos de evitar. Por exemplo, veja o quadro na página 122, intitulado "Não pratique o que Jeová odeia". Ali encontrará alistados vários exemplos de conduta que a Bíblia condena claramente. Num primeiro relance, algumas das práticas alistadas ali talvez não pareçam ser tão más. Mas, depois de meditar nos textos citados, você provavelmente reconhecerá a sabedoria das leis de Jeová. Fazer mudanças no seu modo de vida talvez seja o maior desafio que você já enfrentou. No entanto, viver de um modo que agrade a Deus resulta em grande satisfação e felicidade. (Isaías 48:17, 18) E é algo que está ao seu alcance. Como sabemos disso?

[19] Jeová jamais pede de nós algo além de nossas possibilidades. **(Leia Deuteronômio 30:11-14.)** Ele conhece nosso potencial e nossas limitações melhor do que nós mesmos.

---

17. Qual é a razão principal para obedecer aos mandamentos de Jeová?
18, 19. (a) Quais são alguns dos mandamentos de Jeová? (Veja o quadro na página 122.) (b) Como sabemos que Deus não exige demais de nós?

(Salmo 103:14) Além disso, Jeová pode nos dar força para obedecê-lo. O apóstolo Paulo escreveu: "Deus é fiel, e ele não deixará que vocês sejam tentados além do que podem suportar; mas, quando vier a tentação, ele também providenciará a saída, para que a possam suportar." (1 Coríntios 10:13) Para ajudá-lo a resistir, Jeová pode até mesmo dar-lhe "o poder além do normal". (2 Coríntios 4:7) Depois de ter suportado muitas provações, Paulo podia dizer: "Para todas as coisas tenho forças graças àquele que me dá poder." — Filipenses 4:13.

NÃO PRATIQUE O QUE JEOVÁ ODEIA

Assassinato. — Êxodo 20:13; 21:22, 23.

Imoralidade sexual. — Levítico 20:10, 13, 15, 16; Romanos 1:24, 26, 27, 32; 1 Coríntios 6:9, 10.

Ocultismo. — Deuteronômio 18:9-13; 1 Coríntios 10:21, 22; Gálatas 5:20, 21.

Idolatria. — 1 Coríntios 10:14.

Bebedeira. — 1 Coríntios 5:11.

Roubo, furto. — Levítico 6:2, 4; Efésios 4:28.

Mentira. — Provérbios 6:16, 19; Colossenses 3:9; Apocalipse 22:15.

Ganância. — 1 Coríntios 5:11.

Violência. — Salmo 11:5; Provérbios 22:24, 25; Malaquias 2:16; Gálatas 5:20, 21.

Linguagem imprópria. — Levítico 19:16; Efésios 5:4; Colossenses 3:8.

Mau uso do sangue. — Gênesis 9:4; Atos 15:20, 28, 29.

Recusa de sustentar a família. — 1 Timóteo 5:8.

Participação em guerras ou em controvérsias políticas deste mundo. — Isaías 2:4; João 6:15; 17:16.

Uso de tabaco ou das chamadas drogas recreativas. — Marcos 15:23; 2 Coríntios 7:1.

DESENVOLVA QUALIDADES DIVINAS

[20] Naturalmente, agradar a Jeová envolve mais do que não praticar as coisas que ele odeia. É preciso também amar o que ele ama. (Romanos 12:9) Não se sente atraído àqueles que têm os mesmos conceitos, interesses e valores que você? O mesmo se dá com Jeová. Portanto, aprenda a amar as coisas que ele tem em alta estima. Algumas delas são mencionadas no Salmo 15, onde lemos a respeito daqueles que

20. Que qualidades divinas devemos desenvolver, e por que são importantes?

Deus considera seus amigos. **(Leia Salmo 15:1-5.)** Os amigos de Jeová demonstram o que a Bíblia chama de "fruto do espírito". Esse inclui qualidades como "amor, alegria, paz, paciência, bondade, benignidade, fé, brandura, autodomínio". — Gálatas 5:22, 23.

[21] Ler e estudar a Bíblia regularmente o ajudará a desenvolver qualidades divinas. E aprender o que Deus requer ajudará você a harmonizar seus pensamentos com o Seu modo de pensar. (Isaías 30:20, 21) Quanto mais fortalecer seu amor a Jeová, maior será seu desejo de viver de um modo que agrade a ele.

[22] Exige esforço viver de um modo que agrade a Jeová. Segundo a Bíblia, fazer mudanças na vida significa 'se despir da velha personalidade e se revestir de uma nova personalidade'. (Colossenses 3:9, 10) Mas o salmista escreveu a respeito dos mandamentos de Jeová: "Há grande recompensa em guardá-los." (Salmo 19:11) Você também verá que viver de um modo que agrade a Deus é muito gratificante. Fazendo isso, dará uma resposta ao desafio de Satanás e alegrará o coração de Jeová!

---

21. O que o ajudará a desenvolver qualidades divinas?
22. O que você conseguirá se viver de um modo que agrade a Deus?

O QUE A BÍBLIA ENSINA

- Você pode tornar-se amigo de Deus por obedecê-lo. — Tiago 2:23.
- Satanás desafiou a integridade de todos os humanos. — Jó 1:8, 10, 11; 2:4; Provérbios 27:11.
- Não devemos praticar o que desagrada a Deus. — 1 Coríntios 6:9, 10.
- Podemos agradar a Jeová por odiar o que ele odeia e amar o que ele ama. — Romanos 12:9.

CAPÍTULO TREZE

O conceito de Deus sobre a vida

Qual é o conceito de Deus sobre a vida?

Qual é o conceito de Deus sobre o aborto?

Como mostramos respeito pela vida?

"JEOVÁ é o verdadeiro Deus", disse o profeta Jeremias. "Ele é o Deus vivente." (Jeremias 10:10) Além do mais, Jeová Deus é o Criador de todas as coisas vivas. Criaturas celestiais disseram-lhe: "Criaste todas as coisas, e por tua vontade elas vieram à existência e foram criadas." (Apocalipse 4:11) Num cântico de louvor a Deus, o Rei Davi disse: "Contigo está a fonte da vida." (Salmo 36:9) A vida, portanto, é uma dádiva de Deus.

2 Jeová também sustenta a nossa vida. (Atos 17:28) Ele provê o alimento que comemos, a água que bebemos, o ar que respiramos e o solo em que pisamos. **(Leia Atos 14:15-17.)** Jeová tem feito isso de um modo que torna a vida agradável. Mas, para levar uma vida satisfatória, temos de aprender as leis de Deus e obedecê-las. — Isaías 48:17, 18.

RESPEITO PELA VIDA

3 Deus quer que respeitemos a vida — tanto a nossa como a de outros. Lá nos dias de Adão e Eva, por exemplo, Caim, o filho deles, começou a desenvolver uma ira muito grande contra seu irmão mais novo, Abel. Jeová advertiu Caim de que essa ira poderia levá-lo a cometer um grave pecado. Mas Caim desconsiderou o alerta. Ele "atacou

---

1. Quem criou todas as coisas vivas?
2. O que Deus faz para sustentar a nossa vida?
3. Como Deus encarou o assassinato de Abel?

MOSTRAMOS RESPEITO PELA VIDA

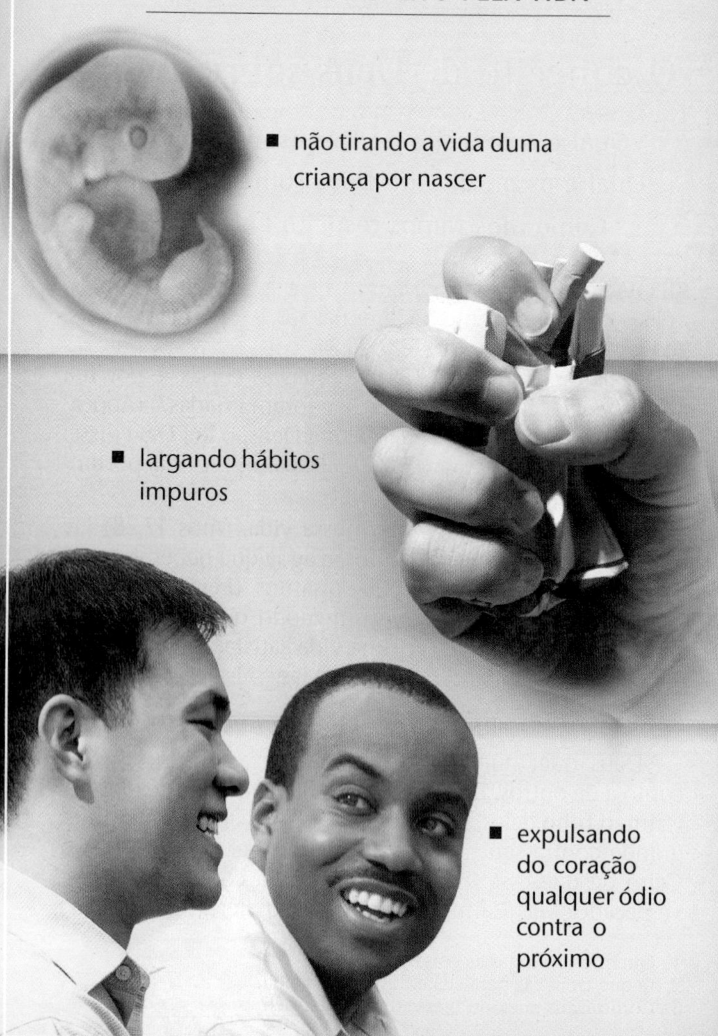

- não tirando a vida duma criança por nascer
- largando hábitos impuros
- expulsando do coração qualquer ódio contra o próximo

Abel, seu irmão, e o matou". (Gênesis 4:3-8) Jeová puniu Caim pelo assassinato de seu irmão. — Gênesis 4:9-11.

[4] Milhares de anos depois, Jeová forneceu leis à nação de Israel a fim de ajudar o povo a servi-lo de modo aceitável. Visto que essas leis foram dadas por meio do profeta Moisés, às vezes são chamadas de Lei mosaica. Parte dessa Lei dizia: "Não assassine." (Deuteronômio 5:17) Isso mostrou aos israelitas que Deus valoriza a vida humana e que as pessoas têm de valorizar a vida de outros.

[5] Que dizer da vida de uma criança por nascer? Bem, segundo a Lei mosaica, provocar a morte de um bebê no útero da mãe era errado. Sim, até mesmo a vida de uma criança por nascer é preciosa para Jeová. **(Leia Êxodo 21:22, 23; Salmo 127:3.)** Isso significa que o aborto é errado.

[6] Respeitar a vida inclui ter o conceito correto a respeito de nossos semelhantes. A Bíblia diz: "Todo aquele que odeia o seu irmão é assassino, e vocês sabem que a vida eterna não permanece em nenhum assassino." (1 João 3:15) Se desejamos a vida eterna, temos de expulsar do coração qualquer ódio que tenhamos contra o nosso semelhante, porque o ódio é a causa básica da maioria dos atos de violência. (1 João 3:11, 12) É vital aprendermos a amar uns aos outros.

[7] Que dizer de respeitar a nossa própria vida? As pessoas normalmente não querem morrer, mas algumas arriscam a vida em busca de prazer. Por exemplo, algumas fumam tabaco, mascam bétele ou usam drogas para fins recreativos. Essas substâncias prejudicam o corpo e não raro matam os usuários. A pessoa viciada nessas substâncias

---

4. Na Lei mosaica, como Deus enfatizou o conceito correto a respeito da vida?
5. Como devemos encarar o aborto?
6. Por que não devemos odiar o nosso semelhante?
7. Cite algumas práticas que mostram desrespeito pela vida.

não encara a vida como sagrada. Essas práticas são impuras aos olhos de Deus. (**Leia Romanos 6:19; 12:1; 2 Coríntios 7:1.**) Para servir a Deus de modo aceitável, temos de largar tais práticas, mesmo que seja muito difícil fazer isso. Jeová pode nos dar a ajuda necessária e ele aprecia nosso esforço de tratar a vida como dádiva preciosa de sua parte.

[8] Se respeitamos a vida, temos de estar atentos à segurança. Não viveremos de modo descuidado nem correremos riscos só por prazer ou emoção. Evitaremos dirigir sem cautela e praticar esportes violentos ou perigosos. (Salmo 11:5) A Lei de Deus para o Israel antigo dizia: "Se você construir uma casa nova, também deve fazer um parapeito para o seu terraço, a fim de que a culpa de sangue não recaia sobre os da sua casa, se alguém cair dele." (Deuteronômio 22:8) Em harmonia com o princípio dessa lei, mantenha em boas condições as coisas da sua casa, tais como as escadas, para que ninguém tropece e caia, ferindo-se gravemente. Se tiver um carro, mantenha-o em bom estado. Não permita que sua casa ou seu carro sejam um perigo para você ou para outros.

[9] Que dizer da vida de um animal? Essa também é sagrada para o Criador. Deus permite o abate de animais para obter alimento e roupa, ou para proteger as pessoas do perigo. (Gênesis 3:21; 9:3; Êxodo 21:28) No entanto, ser cruel com os animais ou matá-los por esporte é errado e mostra grande desrespeito pelo caráter sagrado da vida. — Provérbios 12:10.

RESPEITO PELO SANGUE

[10] Depois que Caim matou seu irmão, Abel, Jeová lhe disse: "O sangue do seu irmão está clamando a mim desde o solo." (Gênesis 4:10) Quando Deus falou do sangue

---

8. Por que é preciso estar atento à segurança?
9. Se respeitarmos a vida, como trataremos os animais?
10. Como Deus mostrou que existe relação entre vida e sangue?

de Abel, ele referia-se à vida de Abel. Caim havia tirado a vida de seu irmão e tinha de ser punido. Era como se o sangue, ou a vida, de Abel clamasse a Jeová por justiça. A relação entre vida e sangue ficou de novo evidente depois do Dilúvio dos dias de Noé. Antes do Dilúvio, as pessoas comiam apenas frutas, vegetais, cereais e nozes. Depois do Dilúvio, Jeová disse a Noé e seus filhos: "Todo animal que se move e que está vivo pode servir-lhes de alimento." No entanto, Deus impôs esta restrição: "Somente não comam a carne de um animal com seu sangue, que é a sua vida." (Gênesis 1:29; 9:3, 4) Obviamente, Jeová estabeleceu uma relação bem estreita entre a vida e o sangue de uma criatura.

[11] Mostramos respeito pelo sangue por não comê-lo. Na Lei de Jeová aos israelitas, ele ordenou: "Se algum israelita . . . ao caçar, apanhar um animal selvagem ou uma ave que se pode comer, ele terá de derramar o sangue e cobri-lo com pó. . . . Eu disse aos israelitas: 'Não comam o sangue de nenhuma criatura.'" (Levítico 17:13, 14) A ordem de Deus de não comer sangue animal, originalmente dada a Noé uns 800 anos antes, ainda vigorava. O conceito de Jeová era claro: seus servos podiam comer carne animal, mas não o sangue. Deviam derramar o sangue no solo — como que devolvendo a Deus a vida do animal.

[12] Os cristãos estão sujeitos a um mandamento semelhante. Certa vez, os apóstolos e outros homens, que assumiam a liderança entre os seguidores de Jesus no primeiro século, reuniram-se para decidir quais os mandamentos que tinham de ser obedecidos por todos na congregação cristã. Eles chegaram à seguinte conclusão: "Pareceu bem ao espírito santo e a nós não impor a vocês

---

11. Que uso do sangue Deus proíbe desde os dias de Noé?
12. Que mandamento a respeito do sangue, que ainda vigora, foi dado por meio do espírito santo no primeiro século?

nenhum fardo além destas coisas necessárias: que persistam em se abster de coisas sacrificadas a ídolos, de sangue, do que foi estrangulado ["do que foi morto sem ser sangrado", nota] e de imoralidade sexual." (Atos 15:28, 29; 21:25) Portanto, temos de 'persistir em nos abster de sangue'. Aos olhos de Deus, fazer isso é tão importante como evitar a idolatria e a imoralidade sexual.

[13] Será que o mandamento de se abster de sangue inclui transfusões de sangue? Sim. Para ilustrar: digamos que um médico lhe recomendasse abster-se de álcool. Será que isso significaria simplesmente que você não deveria beber álcool, mas poderia injetá-lo nas veias? Claro que não! Da mesma forma, abster-se de sangue quer dizer não introduzi-lo de modo algum no corpo. Ou seja, o mandamento de se abster de sangue significa que não devemos permitir que ninguém injete sangue nas nossas veias.

[14] Que dizer se um cristão se ferir gravemente ou precisar de uma grande cirurgia? Suponhamos que os médicos digam que ele morrerá se não receber uma transfusão de sangue. É óbvio que o cristão não deseja morrer. Num esforço de preservar a preciosa dádiva de Deus, a vida, ele aceitaria outros tipos de tratamento que não envolvessem o mau uso do sangue. Assim, solicitaria esse tratamento médico, se disponível, e aceitaria uma variedade de alternativas à transfusão de sangue.

[15] Será que o cristão desobedeceria à lei de Deus apenas para viver um pouco mais neste sistema? Jesus disse: "Quem quiser salvar a sua vida a perderá, mas quem perder a sua vida por minha causa a achará." (Mateus 16:25) Não queremos morrer. Mas, se tentássemos salvar a nos-

---

13. Ilustre por que o mandamento de se abster de sangue inclui transfusões de sangue.
14, 15. Como um cristão reagiria se os médicos dissessem que ele teria de tomar uma transfusão de sangue, e por quê?

sa vida atual desobedecendo à lei de Deus, correríamos o risco de perder a vida eterna. Seremos sábios, portanto, se confiarmos na lei justa de Deus, com plena certeza de que, se morrermos por qualquer motivo, Aquele que nos deu a vida se lembrará de nós na ressurreição e nos dará de volta a preciosa dádiva da vida. — João 5:28, 29; Hebreus 11:6.

16 Na atualidade, os servos fiéis de Deus estão firmemente decididos a seguir as instruções divinas a respeito do sangue. Eles não o comem de nenhuma forma. Tampouco aceitam sangue por razões médicas.* Eles têm certeza de que o Criador do sangue sabe o que é melhor para eles. Você acredita que Deus realmente sabe isso?

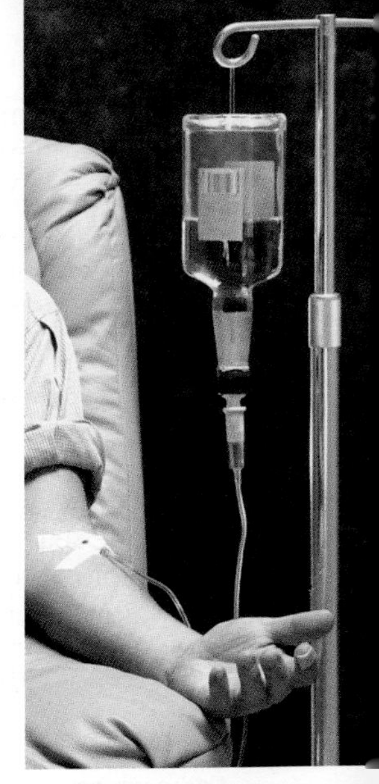

Se um médico lhe recomendasse abster-se de álcool, será que você o injetaria nas veias?

O ÚNICO USO CORRETO DO SANGUE

17 A Lei mosaica salientava o único uso correto do sangue. A respeito da adoração que se exigia dos antigos israelitas, Jeová ordenou: "A vida de uma criatura está no sangue, e eu mesmo o dei a vocês para que façam expiação por si mesmos no altar. Pois é o sangue que faz expiação." (Levítico 17:11) Quando os israelitas pecavam, eles podiam obter o perdão

* Para informações a respeito de alternativas à transfusão de sangue, veja as páginas 13-17 da brochura *Como Pode o Sangue Salvar a Sua Vida?*, publicada pelas Testemunhas de Jeová.

16. Qual é a firme decisão dos servos de Deus com relação ao sangue?
17. No Israel antigo, qual era o único uso do sangue aceitável a Jeová?

oferecendo um animal e colocando parte do sangue dele sobre o altar, que ficava no tabernáculo e mais tarde no templo de Deus. O único uso correto do sangue era nesses sacrifícios.

[18] Os cristãos verdadeiros não estão sujeitos à Lei mosaica, de modo que não oferecem sacrifícios de animais nem colocam o sangue deles sobre um altar. (Hebreus 10:1) No entanto, o uso de sangue no altar nos dias do Israel antigo apontava para a frente, para o precioso sacrifício do Filho de Deus, Jesus Cristo. Como vimos no Capítulo 5 deste livro, Jesus entregou sua vida humana em nosso favor por permitir que seu sangue fosse derramado como sacrifício. Daí, ele subiu ao céu e, de uma vez por todas, ofereceu a Deus o valor de seu sangue derramado. (Hebreus 9:11, 12)

---

18. Que benefícios e bênçãos podemos receber em virtude do derramamento do sangue de Jesus?

Como você pode mostrar respeito pela vida e pelo sangue?

Isso lançou a base para o perdão de nossos pecados e abriu o caminho para ganharmos a vida eterna. (Mateus 20:28; João 3:16) Esse uso do sangue é realmente de enorme importância. (1 Pedro 1:18, 19) Somente por meio da fé no valor do sangue derramado de Jesus podemos ganhar a salvação.

19 Podemos ser muito gratos a Jeová pela amorosa provisão da vida! E não deveria isso nos motivar a falar a outros sobre a oportunidade de ganhar vida eterna à base da fé no sacrifício de Jesus? Se tivermos o mesmo interesse que Deus tem pela vida de nossos semelhantes nos sentiremos motivados a fazer isso com fervor e zelo. **(Leia Ezequiel 3:17-21.)** Se cumprirmos diligentemente essa responsabilidade, poderemos dizer, como o apóstolo Paulo: "Estou limpo do sangue de todos os homens, pois não deixei de declarar a vocês toda a vontade de Deus." (Atos 20:26, 27) Falar às pessoas a respeito de Deus e seus propósitos é um modo excelente de mostrar que temos o mais elevado respeito pela vida e pelo sangue.

---

19. O que temos de fazer para estar 'limpos do sangue de todos os homens'?

O QUE A BÍBLIA ENSINA

- A vida é uma dádiva de Deus. — Salmo 36:9; Apocalipse 4:11.
- O aborto é errado, pois a vida duma criança por nascer é preciosa aos olhos de Deus. — Êxodo 21:22, 23; Salmo 127:3.
- Mostramos respeito pela vida por não arriscá-la desnecessariamente e por não comer sangue. — Deuteronômio 5:17; Atos 15:28, 29.

CAPÍTULO CATORZE

Como ter uma vida familiar feliz

O que é preciso para ser um bom marido?

Como ser uma boa esposa?

O que está envolvido em ser bons pais?

Como os filhos podem contribuir para uma vida familiar feliz?

JEOVÁ deseja que a sua vida familiar seja feliz. A sua Palavra, a Bíblia, fornece orientações para os membros da família, explicando o papel que Deus quer que cada um desempenhe. Quando os membros da família cumprem seus respectivos papéis em harmonia com os conselhos de Deus, os resultados são muito satisfatórios. Jesus disse: "Felizes os que ouvem a palavra de Deus e a põem em prática!" — Lucas 11:28.

[2] A felicidade familiar depende principalmente de reconhecermos que a família se origina de Jeová, a quem Jesus chamou de "Pai nosso". (Mateus 6:9) Toda família na Terra existe graças ao nosso Pai celestial — e ele certamente sabe o que torna feliz uma família. (Efésios 3:14, 15) Assim, o que a Bíblia ensina a respeito do papel de cada membro da família?

A ORIGEM DIVINA DA FAMÍLIA

[3] Jeová criou os primeiros humanos, Adão e Eva, e os uniu como marido e mulher. Ele os colocou num belo lar

1. Qual é a chave para uma vida familiar feliz?
2. A felicidade familiar depende de reconhecermos o quê?
3. Como a Bíblia descreve o início da vida familiar, e por que sabemos que aquilo que ela diz é verdade?

paradisíaco terrestre — o jardim do Éden — e disse-lhes que tivessem filhos. "Tenham filhos e tornem-se muitos; encham e dominem a terra", disse Jeová. (Gênesis 1:26-28; 2:18, 21-24) Não se trata de simples história ou mito, pois Jesus mostrou que o relato de Gênesis sobre o início da vida familiar é verdadeiro. (Mateus 19:4, 5) Embora enfrentemos muitos problemas e a vida hoje não seja como Deus queria que fosse, vejamos por que a felicidade na família é possível.

4 Cada um na família pode contribuir para a felicidade da vida familiar por imitar a Deus em mostrar amor. (Efésios 5:1, 2) Mas como podemos imitar a Deus, visto que nem podemos vê-lo? Podemos saber como Jeová age porque ele enviou seu Filho primogênito do céu para a Terra. (João 1:14, 18) Quando esteve na Terra, esse Filho, Jesus Cristo, imitou tão bem seu Pai celestial que ver e ouvir a ele era exatamente como estar com Jeová e ouvi-lo. (João 14:9) Portanto, por aprender a respeito do amor de Jesus e seguir seu exemplo, cada um de nós pode contribuir para uma vida familiar mais feliz.

MODELO PARA OS MARIDOS

5 A Bíblia diz que os maridos devem tratar as esposas assim como Jesus trata seus discípulos. Veja esta ordem bíblica: "Marido, continue a amar a sua esposa, *assim como também o Cristo amou a congregação e se entregou por ela . . .* Do mesmo modo, o marido deve amar a esposa como ao seu próprio corpo. O homem que ama a sua esposa, ama a si mesmo, pois nenhum homem jamais odiou o próprio corpo, mas o alimenta e cuida dele, *assim como o Cristo faz com a congregação.*" — Efésios 5:23, 25-29.

---

4. (a) De que modo cada um na família pode contribuir para a felicidade no lar? (b) Por que o estudo da vida de Jesus é tão importante para a felicidade na família?
5, 6. (a) De que modo a maneira de Jesus tratar a congregação é exemplo para os maridos? (b) O que é preciso fazer para se obter o perdão de pecados?

[6] O amor de Jesus pela sua congregação de discípulos é um exemplo perfeito para os maridos. Jesus "os amou até o fim", sacrificando sua vida por eles, muito embora estivessem longe de ser perfeitos. (João 13:1; 15:13) De modo similar, os maridos são aconselhados: *"Continue* a amar a sua esposa e não se ire amargamente com ela." (Colossenses 3:19) O que ajudará o marido a aplicar esse conselho, em especial se a esposa às vezes não agir com bom senso? Ele deve lembrar-se de seus próprios erros e do que precisa fazer para receber o perdão de Deus. Precisa fazer o quê? Perdoar os que pecam contra ele, e isso inclui a esposa. Naturalmente, ela deve fazer o mesmo. **(Leia Mateus 6:12, 14, 15.)** Você entende então por que se diz que um bom casamento é a união de dois bons perdoadores?

[7] Além disso, os maridos farão bem em ter em mente que Jesus sempre mostrou consideração pelos discípulos. Ele levava em conta as limitações e necessidades físicas deles. Certa vez, quando estavam cansados, ele disse: "Venham comigo, vamos sozinhos a um lugar isolado para descansar um pouco." (Marcos 6:30-32) As esposas, também, merecem muita consideração. A Bíblia refere-se a elas como "vaso mais frágil", a quem os maridos devem atribuir "honra". Por quê? Porque tanto os maridos como as esposas se beneficiarão igualmente "do favor imerecido da vida". (1 Pedro 3:7) Os maridos devem lembrar-se de que é a fidelidade, e não se a pessoa é homem ou mulher, que torna alguém precioso para Deus. — Salmo 101:6.

[8] A Bíblia diz que o marido que "ama a sua esposa, ama a si mesmo". Isso porque marido e mulher "não são mais dois, mas *uma só carne"*, como Jesus destacou.

---

7. O que Jesus levava em conta, dando que exemplo para os maridos?
8. (a) Em que sentido o marido que "ama a sua esposa, ama a si mesmo"? (b) Serem "uma só carne" significa o que para o marido e a esposa?

(Mateus 19:6) Portanto, o interesse sexual deve limitar-se apenas ao casal. (Provérbios 5:15-21; Hebreus 13:4) Isso será possível se demonstrarem interesse altruísta pelas necessidades um do outro. (1 Coríntios 7:3-5) É digno de nota este lembrete: "Nenhum homem jamais odiou o *próprio corpo, mas o alimenta e cuida dele.*" O marido deve amar a esposa como a si mesmo, lembrando-se de que ele precisa prestar contas ao próprio cabeça dele, Jesus Cristo. — Efésios 5:29; 1 Coríntios 11:3.

9 O apóstolo Paulo falou do 'terno amor de Cristo Jesus'. (Filipenses 1:8) A afeição de Jesus era uma qualidade reanimadora, que cativava as mulheres que se tornaram discípulas dele. (João 20:1, 11-13, 16) E as esposas anseiam o terno amor dos maridos.

EXEMPLO PARA AS ESPOSAS

10 Uma família é uma organização e, para operar suavemente, é preciso ter um cabeça. Até mesmo Jesus tem Alguém como Cabeça, a quem ele se submete. "O cabeça do Cristo é Deus", assim como "o cabeça da mulher é o homem". (1 Coríntios 11:3) A sujeição de Jesus à chefia de Deus é um belo exemplo, visto que todos nós temos um cabeça a quem estar sujeitos.

11 Homens imperfeitos cometem erros e, em muitos casos, não são chefes de família ideais. O que a esposa deve fazer nesse caso? Não deve menosprezar o que o marido faz, nem tentar usurpar a chefia dele. Fará bem em lembrar-se de que um espírito calmo e brando é de grande valor para Deus. (1 Pedro 3:4) Por demonstrar um espírito assim

---

9. Que qualidade de Jesus é mencionada em Filipenses 1:8, e por que o marido deve demonstrar essa qualidade para com a esposa?
10. Que exemplo Jesus é para as esposas?
11. Qual deve ser a atitude da esposa com relação ao marido, e que efeito poderá ter sua conduta?

ela achará mais fácil demonstrar sujeição cristã, mesmo em situações provadoras. A Bíblia diz também: "A esposa deve ter profundo respeito pelo marido." (Efésios 5:33) Mas e se ele não aceitar a Cristo como Cabeça? A Bíblia exorta às esposas: "Esteja sujeita ao seu marido, de modo que, se ele não for obediente à palavra, seja ganho sem palavras, por meio da conduta de sua esposa, por ter sido testemunha ocular de sua conduta casta junto com *profundo respeito.*" — 1 Pedro 3:1, 2.

[12] Quer o marido seja da mesma fé, quer não, a esposa não estaria sendo desrespeitosa se expressasse uma opinião diferente da dele. O ponto de vista dela pode estar certo, e a família inteira poderá se beneficiar caso o marido o aceite. Embora Abraão não concordasse quando sua esposa, Sara, sugeriu uma solução para certo problema doméstico, Deus disse a ele: "Escute o que ela diz." **(Leia Gênesis 21:9-12.)** Naturalmente, quando o marido toma uma decisão que não viola a lei de Deus, a esposa mostra sua sujeição apoiando-o. — Atos 5:29; Efésios 5:24.

[13] Ao cumprir seu papel, a esposa pode contribuir muito para o bem da família. Por exemplo, a Bíblia mostra que as mulheres casadas devem 'amar o marido, amar os filhos, ser sensatas, castas, diligentes nos afazeres domésticos, bondosas, sujeitas ao marido'. (Tito 2:4, 5) A esposa e mãe que age assim conquista o eterno amor e respeito de sua família. **(Leia Provérbios 31:10, 28.)** Visto que o casamento é a união de pessoas imperfeitas, porém, algumas circunstâncias extremas poderão resultar em separação ou divórcio. A Bíblia permite a separação em determinadas circunstâncias. No entanto, a separação não deve ser encarada levianamente, pois a Bíblia aconselha: 'A esposa não deve se separar

---

12. Por que não é errado que a esposa expresse respeitosamente sua opinião?
13. (a) O que Tito 2:4, 5 exorta as mulheres casadas a fazer? (b) O que a Bíblia diz a respeito de separação e divórcio?

Que bom exemplo Sara deu para as esposas?

do marido e o marido não deve deixar a esposa.' (1 Coríntios 7:10, 11) E apenas a imoralidade sexual por parte de um dos cônjuges provê base bíblica para divórcio. — Mateus 19:9.

EXEMPLO PERFEITO PARA OS PAIS

14 Jesus deu um exemplo perfeito para os pais na maneira de tratar os filhos. Quando alguns tentaram impedir que criancinhas se aproximassem dele, Jesus disse: "Deixem as criancinhas vir a mim. Não tentem impedi-las." Daí, diz a Bíblia, ele "pegou as crianças nos braços e começou a abençoá-las, pondo as mãos sobre elas". (Marcos 10:13-16) Visto que Jesus dedicou tempo às crianças, não devia você fazer o mesmo com seus próprios filhos? Eles precisam, não apenas de migalhas de seu tempo, mas de grandes porções dele. Você precisa tirar tempo para ensiná-los, pois é isso o que Jeová instrui os pais a fazer. — **Leia Deuteronômio 6:4-9.**

15 À medida que este mundo se torna cada vez mais

---

14. Como Jesus tratou as crianças, e o que elas precisam receber dos pais?
15. O que os pais podem fazer para proteger os filhos?

perverso, os filhos precisam de pais que os protejam contra pessoas que tentam prejudicá-los, como os molestadores sexuais. Considere como Jesus protegeu seus discípulos, a quem afetuosamente chamou de "filhinhos". Quando foi preso e estava prestes a ser morto, Jesus cuidou de que eles escapassem. (João 13:33; 18:7-9) Como pai, ou mãe, você precisa estar atento às tentativas do Diabo de causar dano a seus filhos pequenos. É preciso alertá-los.* (1 Pedro 5:8) Nunca antes foi tão grande a ameaça à integridade física, espiritual e moral deles.

---

* Sugestões sobre como proteger os filhos encontram-se no capítulo 32 do livro *Aprenda do Grande Instrutor,* publicado pelas Testemunhas de Jeová.

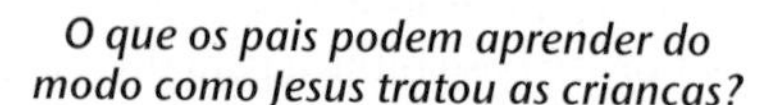

O que os pais podem aprender do modo como Jesus tratou as crianças?

16 Na noite anterior à morte de Jesus, seus discípulos discutiram sobre quem era o maior entre eles. Em vez de se irritar com eles, Jesus continuou pacientemente a apelar para o raciocínio deles por meio de palavras e exemplo. (Lucas 22:24-27; João 13:3-8) Se você é pai ou mãe, consegue perceber como pode imitar o exemplo de Jesus na maneira de corrigir os filhos? Eles precisam de disciplina, é verdade, mas ela deve ser dada "no devido grau", jamais com ira. Você não deve falar sem pensar, pois "palavras impensadas são como os golpes de uma espada". (Jeremias 30:11; Provérbios 12:18) A disciplina deve ser administrada de tal modo que a criança mais tarde veja o quanto foi apropriada. — Efésios 6:4; Hebreus 12:9-11.

MODELO PARA OS FILHOS

17 Será que os filhos podem aprender algo de Jesus? Sim, podem! Pelo seu próprio exemplo, Jesus mostrou como os filhos devem obedecer aos pais. Ele disse: "Falo aquilo que o Pai me ensinou." E acrescentou: "Faço sempre o que lhe agrada." (João 8:28, 29) Jesus obedecia a seu Pai celestial e a Bíblia diz que os filhos devem obedecer aos pais. **(Leia Efésios 6:1-3.)** Embora Jesus fosse uma criança perfeita, ele obedecia a seus pais humanos, José e Maria, que eram imperfeitos. Isso com certeza contribuía para a felicidade de cada membro da família de Jesus. — Lucas 2:4, 5, 51, 52.

18 Podem os filhos encontrar maneiras de imitar melhor a Jesus e alegrar os pais? É verdade que os jovens podem às vezes achar difícil obedecer aos pais, mas Deus quer que os filhos lhes obedeçam. (Provérbios 1:8; 6:20) Jesus sempre

---

16. O que os pais podem aprender do modo como Jesus lidou com as imperfeições de seus discípulos?
17. De que maneiras Jesus deu um exemplo perfeito para os filhos?
18. Por que Jesus sempre obedeceu a seu Pai celestial, e quem se alegra quando os filhos hoje obedecem aos pais?

obedeceu a seu Pai celestial, mesmo em circunstâncias difíceis. Certa vez, quando Deus desejava que ele realizasse algo especialmente difícil, Jesus disse: "Afasta de mim este cálice [um certo requisito]." Não obstante, Jesus fez o que Deus pediu, porque se dava conta de que seu Pai sabia o que era melhor. (Lucas 22:42) Por aprenderem a ser obedientes, os filhos alegrarão muito a seus pais e a Jeová, o Pai celestial.* — Provérbios 23:22-25.

[19] O Diabo tentou Jesus e podemos estar certos de que ele também tentará os jovens a fazer o que é errado. (Mateus 4:1-10) Satanás, o Diabo, usa a pressão de colegas, à qual pode ser difícil resistir. Portanto, como é vital que os filhos não tenham amizade com os que praticam coisas erradas! (1 Coríntios 15:33) Diná, filha de Jacó, tinha amizade com pessoas que não adoravam a Jeová, o que resultou em muitos problemas. (Gênesis 34:1, 2) Pense em quanta mágoa uma família sofreria se um de seus membros se envolvesse em imoralidade sexual! — Provérbios 17:21, 25.

* Só seria correto a criança desobedecer aos pais se eles exigissem algo que violasse a lei de Deus. — Atos 5:29.

19. (a) Como Satanás tenta os jovens? (b) Que efeito a má conduta dos filhos pode ter sobre os pais?

De que os jovens devem se lembrar quando são tentados?

A CHAVE PARA A FELICIDADE FAMILIAR

[20] Pôr em prática os conselhos da Bíblia torna mais fácil lidar com os problemas familiares. De fato, aplicar tais conselhos é a chave para a felicidade familiar. Portanto, maridos, amem sua esposa e tratem-na assim como Jesus trata a sua congregação. Esposas, aceitem a liderança de seu marido e imitem o exemplo da esposa capaz, descrita em Provérbios 31:10-31. Pais, eduquem seus filhos. (Provérbios 22:6) Maridos, 'presidam bem à sua própria família'. (1 Timóteo 3:4, 5; 5:8) E filhos, obedeçam a seus pais. (Colossenses 3:20) Ninguém na família é perfeito, pois todos cometem erros. Portanto, sejam humildes, pedindo perdão uns aos outros.

[21] Realmente, a Bíblia contém uma riqueza de sugestões e instruções valiosas a respeito da vida familiar. Além do mais, ela nos ensina sobre o novo mundo de Deus e uma futura Terra paradisíaca habitada inteiramente por felizes adoradores de Jeová. (Apocalipse 21:3, 4) Que perspectiva maravilhosa! Desde agora, porém, podemos ter uma vida familiar feliz aplicando as instruções de Deus que se acham na sua Palavra, a Bíblia.

---

20. Para ter uma vida familiar feliz, o que todos na família devem fazer?
21. Que perspectivas maravilhosas nos aguardam, e como podemos desde já ter uma vida familiar feliz?

O QUE A BÍBLIA ENSINA

- O marido tem de amar a esposa como ao seu próprio corpo. — Efésios 5:25-29.
- A esposa deve amar a família e respeitar o marido. — Tito 2:4, 5.
- Os pais precisam amar, ensinar e proteger os filhos. — Deuteronômio 6:4-9.
- Os filhos devem obedecer aos pais. — Efésios 6:1-3.

CAPÍTULO QUINZE

A adoração que Deus aprova

Será que todas as religiões agradam a Deus?
Como podemos identificar a religião verdadeira?
Quem são hoje os verdadeiros adoradores de Deus na Terra?

JEOVÁ se interessa profundamente por nós e deseja que nos beneficiemos de suas instruções amorosas. Se o adorarmos da maneira correta, seremos felizes e evitaremos muitos problemas na vida. Teremos também sua bênção e sua ajuda. (Isaías 48:17) Existem, no entanto, centenas de religiões que afirmam ensinar a verdade a respeito de Deus. Contudo, elas diferem muito nos seus ensinos sobre quem é Deus e o que ele espera de nós.

[2] Como é possível saber qual é a maneira correta de adorar a Jeová? Não é preciso estudar e comparar os ensinos de todas as muitas religiões. É preciso apenas aprender o que a Bíblia *realmente* ensina a respeito da adoração verdadeira. Para ilustrar: em muitos países, existe o problema da falsificação de dinheiro. Se você fosse encarregado de identificar dinheiro falso, como faria isso? Memorizando todos os tipos de falsificações? Não. Seu tempo seria mais bem gasto se você o usasse para estudar o dinheiro *verdadeiro*. Depois de conhecer bem o dinheiro verdadeiro, poderia reconhecer o falso. Do mesmo modo, quando aprendemos a identificar a religião verdadeira, podemos reconhecer as que são falsas.

---

1. Como seremos beneficiados se adorarmos a Deus da maneira correta?
2. Como podemos aprender a maneira correta de adorar a Jeová, e que ilustração nos ajuda a entender isso?

[3] É importante que adoremos a Jeová do modo que ele aprova. Muitos acham que todas as religiões agradam a Deus, mas a Bíblia não ensina isso. Também não basta apenas afirmar ser cristão. Jesus disse: "Nem todo o que me disser: 'Senhor, Senhor', entrará no Reino dos céus, mas apenas aquele que fizer a vontade do meu Pai, que está nos céus." Portanto, para termos a aprovação de Deus, temos de aprender o que ele exige de nós e pôr isso em prática. Jesus chamou os que não fazem a vontade de Deus de pessoas "que fazem o que é contra a lei". (Mateus 7:21-23) Como dinheiro falso, a religião falsa não tem valor verdadeiro. Pior ainda, esse tipo de religião é realmente prejudicial.

[4] Jeová dá a todos na Terra a oportunidade de ganhar a vida eterna. Mas, a fim de viver para sempre no Paraíso, temos de adorar a Deus da maneira correta e viver agora de um modo aceitável a ele. É lamentável que muitos se recusem a fazer isso. Por isso, Jesus disse: "Entrem pelo portão estreito, porque largo é o portão e espaçosa é a estrada que conduz à destruição, e muitos entram por ele; ao passo que estreito é o portão e apertada a estrada que conduz à vida, e poucos a acham." (Mateus 7:13, 14) A religião verdadeira conduz à vida eterna. A religião falsa leva à destruição. Jeová não deseja que nenhum humano seja destruído, motivo pelo qual ele está dando a pessoas em toda a parte a oportunidade de aprender a seu respeito. (2 Pedro 3:9) Realmente, pois, o modo como adoramos a Deus significará vida ou morte para nós.

COMO IDENTIFICAR A RELIGIÃO VERDADEIRA

[5] Como se pode encontrar a 'estrada da vida'? Jesus disse que a religião verdadeira ficaria evidente na vida das

---

3. De acordo com Jesus, o que temos de fazer para ter a aprovação de Deus?
4. O que significam as palavras de Jesus a respeito das duas estradas, e ao que cada uma delas conduz?
5. Como podemos reconhecer os que praticam a religião verdadeira?

pessoas que a praticassem. "Pelos seus frutos vocês os reconhecerão", disse ele. "Toda árvore boa produz fruto bom." (Mateus 7:16, 17) Em outras palavras, os que praticam a religião verdadeira seriam reconhecidos pelas suas crenças e pela sua conduta. Embora sejam imperfeitos e cometam erros, os adoradores verdadeiros, como grupo, procuram fazer a vontade de Deus. Vamos considerar seis aspectos que identificam os que praticam a religião verdadeira.

6 *Os servos de Deus baseiam seus ensinos na Bíblia.* A própria Bíblia diz: "Toda a Escritura é inspirada por Deus e proveitosa para ensinar, para repreender, para endireitar as coisas, para disciplinar em justiça, a fim de que o homem [ou a mulher] de Deus seja plenamente competente, completamente equipado para toda boa obra." (2 Timóteo 3:16, 17) O apóstolo Paulo escreveu aos companheiros cristãos: "Quando receberam a palavra de Deus, que ouviram de nós, vocês a aceitaram não como a palavra de homens, mas pelo que ela realmente é, a palavra de Deus." (1 Tessalonicenses 2:13) Assim, as crenças e as práticas da religião verdadeira não se baseiam em conceitos humanos nem em tradições. Elas se originam da Palavra inspirada de Deus, a Bíblia.

7 Jesus Cristo deu o exemplo correto por basear seus ensinos na Palavra de Deus. Em oração a seu Pai celestial, ele disse: "A tua palavra é a verdade." (João 17:17) Jesus acreditava na Palavra de Deus, e tudo o que ele ensinava se harmonizava com as Escrituras. Ele disse muitas vezes: "Está escrito." (Mateus 4:4, 7, 10) Em seguida, citava um trecho das Escrituras. Assim também hoje, os servos de Deus não ensinam suas próprias ideias. Eles acreditam que a Bíblia é a Palavra de Deus e baseiam seus ensinos firmemente no que ela diz.

6, 7. Como os servos de Deus consideram a Bíblia, e que exemplo Jesus deu nesse respeito?

OS QUE ADORAM O DEUS VERDADEIRO

- baseiam seus ensinos na Bíblia
- adoram apenas a Jeová e divulgam Seu nome
- têm amor genuíno entre si
- aceitam a Jesus como meio de salvação provido por Deus
- não fazem parte do mundo
- pregam o Reino de Deus como única esperança da humanidade

[8] *Os que praticam a religião verdadeira adoram apenas a Jeová e divulgam seu nome.* Jesus declarou: "Adore a Jeová, seu Deus, e preste serviço sagrado apenas a ele." (Mateus 4:10) Assim, os servos de Deus não adoram a ninguém a não ser a Jeová. Essa adoração inclui informar às pessoas o nome do Deus verdadeiro e suas qualidades. O Salmo 83:18 diz: "Tu, cujo nome é Jeová, somente tu és o Altíssimo sobre toda a terra." Jesus estabeleceu o modelo em ajudar outros a conhecer a Deus, como disse em oração: "Tornei o teu nome conhecido aos homens que me deste do mundo." (João 17:6) De modo similar, os atuais adoradores verdadeiros ensinam outros a respeito do nome, dos propósitos e das qualidades de Deus.

[9] *Os do povo de Deus têm amor genuíno e altruísta entre si.* Jesus disse: "Por meio disto todos saberão que vocês são meus discípulos: se tiverem amor entre si." (João 13:35) Os primeiros cristãos tinham esse amor entre si. O amor baseado no temor a Deus vence barreiras raciais, sociais e nacionais e une as pessoas num inquebrantável vínculo de verdadeira fraternidade. **(Leia Colossenses 3:14.)** Os membros das religiões falsas não têm tal fraternidade amorosa. Como sabemos disso? Eles matam uns aos outros por causa de disputas nacionais ou étnicas. Os cristãos verdadeiros não pegam em armas para matar seus irmãos cristãos, ou quem quer que seja. A Bíblia diz: "Desta forma sabemos quem são os filhos de Deus e quem são os filhos do Diabo: aquele que não pratica a justiça não se origina de Deus, nem aquele que não ama o seu irmão. . . . Devemos amar uns aos outros; não como Caim, que se originou do Maligno e matou o seu irmão." — 1 João 3:10-12; 4:20, 21.

[10] Naturalmente, o amor genuíno significa mais do que não matar outros. Com altruísmo, os cristãos verdadeiros

---

8. O que está envolvido em adorar a Jeová?
9, 10. De que maneiras os cristãos verdadeiros mostram que têm amor entre si?

usam seu tempo, suas energias e seus recursos para ajudar e encorajar uns aos outros. (Hebreus 10:24, 25) Eles se ajudam mutuamente em tempos de aflição e são honestos nos seus tratos com outros. De fato, aplicam na vida o conselho bíblico de 'fazer o bem a todos'. — Gálatas 6:10.

[11] *Os cristãos verdadeiros aceitam a Jesus Cristo como meio de salvação provido por Deus.* A Bíblia diz: "Não há salvação em mais ninguém, pois não há outro nome debaixo do céu, que tenha sido dado aos homens, pelo qual devamos ser salvos." (Atos 4:12) Como vimos no Capítulo 5, Jesus deu sua vida como resgate pelos humanos obedientes. (Mateus 20:28) Além disso, Jesus é o Rei designado de Deus no Reino celestial que governará a Terra. E Deus requer que obedeçamos a Jesus e coloquemos em prática seus ensinos, se desejamos a vida eterna. É por isso que a Bíblia diz: "Quem exerce fé no Filho tem vida eterna; quem desobedece ao Filho não verá a vida." — João 3:36.

[12] *Os adoradores verdadeiros não fazem parte do mundo.* Quando estava sendo julgado perante o governante romano Pilatos, Jesus disse: "Meu Reino não faz parte deste mundo." (João 18:36) Não importa em que país vivam, os verdadeiros seguidores de Jesus são súditos de seu Reino celestial, mantendo assim estrita neutralidade nos assuntos políticos do mundo. Eles não participam nos seus conflitos. No entanto, os adoradores de Jeová não interferem na escolha de outros quanto a entrar num partido político, concorrer a um cargo ou votar. E, ao passo que os verdadeiros adoradores de Deus são neutros em assuntos políticos, são também obedientes às leis. Por quê? Porque a Palavra de Deus ordena que "estejam sujeitos às autoridades superiores" governamentais. (Romanos 13:1) Em caso de conflito entre o que Deus exige e o que determinado

---

11. Por que é importante aceitar a Jesus Cristo como meio de Deus prover a salvação?
12. O que envolve não fazer parte do mundo?

sistema político exige, os adoradores verdadeiros seguem o exemplo dos apóstolos, que disseram: "Temos de obedecer a Deus como governante em vez de a homens." — Atos 5:29; Marcos 12:17.

[13] *Os verdadeiros seguidores de Jesus pregam que o Reino de Deus é a única esperança para a humanidade.* Jesus pre-

13. Como os verdadeiros seguidores de Jesus consideram o Reino de Deus e, assim, que atitude adotam?

Servindo a Jeová junto com seu povo você ganhará muito mais do que talvez venha a perder

disse: "Estas boas novas do Reino serão pregadas em toda a terra habitada, em testemunho a todas as nações, e então virá o fim." (Mateus 24:14) Em vez de incentivar as pessoas a recorrer a governantes humanos para resolver seus problemas, os verdadeiros seguidores de Jesus Cristo proclamam o Reino celestial de Deus como única esperança para a humanidade. (Salmo 146:3) Jesus nos ensinou a orar por esse governo perfeito quando disse: "Venha o teu Reino. Seja feita a tua vontade, como no céu, assim também na terra." (Mateus 6:10) A Palavra de Deus predisse que esse Reino celestial "vai esmigalhar e pôr um fim a todos esses reinos, e somente ele permanecerá para sempre". — Daniel 2:44; Apocalipse 16:14; 19:19-21.

[14] À base do que acabamos de considerar, pergunte-se: 'Que grupo religioso baseia todos os seus ensinos na Bíblia e torna conhecido o nome de Jeová? Que grupo pratica o amor baseado em normas divinas, exerce fé em Jesus, não faz parte do mundo e proclama o Reino de Deus como única esperança real para a humanidade? De todos os grupos religiosos na Terra, qual deles cumpre esses requisitos?' Os fatos mostram claramente que são as Testemunhas de Jeová. — **Leia Isaías 43:10-12.**

O QUE VOCÊ FARÁ?

[15] Simplesmente crer em Deus não é suficiente para agradá-lo. Afinal, a Bíblia diz que até os demônios creem que ele existe. (Tiago 2:19) Mas eles, obviamente, não fazem a vontade de Deus e não têm sua aprovação. Para sermos aprovados por Deus, não só temos de crer na sua existência, mas também fazer a sua vontade. É preciso também cortar os laços com a religião falsa e aceitar a adoração verdadeira.

---

14. Na sua opinião, que grupo religioso cumpre os requisitos da adoração verdadeira?
15. O que Deus requer além de crermos que ele existe?

[16] O apóstolo Paulo mostrou que não devemos participar na adoração falsa. Ele escreveu: "'Saiam do meio deles e separem-se', diz Jeová, 'e parem de tocar em coisa impura'; 'e eu os acolherei.'" (2 Coríntios 6:17; Isaías 52:11) Portanto, os cristãos verdadeiros evitam qualquer coisa ligada à adoração falsa.

[17] A Bíblia mostra que todas as muitas formas de religião falsa são parte de "Babilônia, a Grande".* (Apocalipse 17:5) Esse nome nos faz lembrar a antiga cidade de Babilônia, onde a religião falsa começou depois do Dilúvio dos dias de Noé. Muitos ensinos e práticas que hoje são comuns na religião falsa se originaram muito tempo atrás em Babilônia. Por exemplo, os babilônios adoravam trindades, ou tríades, de deuses. Hoje, a doutrina central de muitas religiões é a Trindade. Mas a Bíblia ensina claramente que existe um só Deus verdadeiro, Jeová, e que Jesus Cristo é seu Filho. (João 17:3) Os babilônios também acreditavam que os humanos têm uma alma imortal que sobrevive à morte do corpo e pode sofrer num lugar de tormento. Hoje, a crença na alma, ou espírito, imortal passível de sofrimento num inferno de fogo é ensinada pela maioria das religiões.

[18] Visto que a antiga adoração babilônica se espalhou por toda a Terra, a atual Babilônia, a Grande, pode ser apropriadamente identificada como império mundial de religião falsa. E Deus predisse que esse império de religião falsa acabará de repente. Consegue ver por que é vital separar-se de qualquer parte de Babilônia, a Grande? Jeová deseja que você 'saia dela' rapidamente, enquanto há tempo. — **Leia Apocalipse 18:4, 8.**

---

* Para mais informações sobre por que Babilônia, a Grande, representa o império mundial de religião falsa, veja o Apêndice, páginas 219-220.

---

16. Que ação se deve tomar com respeito à participação na religião falsa?
17, 18. O que é "Babilônia, a Grande", e por que é urgente 'sair dela'?

[19] Por causa de sua decisão de parar de praticar a religião falsa, é possível que alguns decidam deixar de se associar com você. Mas, servindo a Jeová junto com seu povo, você ganhará muito mais do que talvez venha a perder. Assim como os primeiros discípulos de Jesus, que abandonaram outras coisas para segui-lo, você virá a ter muitos irmãos e irmãs espirituais. Você se tornará parte de uma grande família mundial de milhões de cristãos verdadeiros, que lhe mostrarão amor genuíno. E terá a esperança maravilhosa de vida eterna "no futuro sistema de coisas". **(Leia Marcos 10:28-30.)** E pode ser que, com o tempo, aqueles que o abandonarem por causa daquilo em que você passou a crer examinem o que a Bíblia ensina e se tornem adoradores de Jeová.

[20] A Bíblia ensina que Deus em breve acabará com o atual sistema mundial perverso e o substituirá por um novo mundo justo, governado pelo Seu Reino. (2 Pedro 3:9, 13) Que mundo maravilhoso será esse! E nesse novo mundo justo haverá apenas uma religião, uma única forma verdadeira de adoração. Não é sábio de sua parte dar os passos necessários para se associar desde já com os adoradores verdadeiros?

---

19. Que benefícios você terá por servir a Jeová?
20. O que o futuro reserva para os que praticam a religião verdadeira?

O QUE A BÍBLIA ENSINA

- Existe uma só religião verdadeira. — Mateus 7:13, 14.
- A religião verdadeira é identificada pelos seus ensinos e práticas. — Mateus 7:16, 17.
- As Testemunhas de Jeová praticam a adoração que Deus aprova. — Isaías 43:10.

CAPÍTULO DEZESSEIS

Tome sua posição em favor da adoração verdadeira

O que a Bíblia ensina a respeito do uso de imagens?

Qual é o conceito dos cristãos sobre certos feriados e dias santificados?

Como você pode explicar suas crenças sem ofender outros?

SUPONHA que você descubra que seu bairro inteiro está contaminado. Alguém vem despejando secretamente resíduos venenosos na área e a situação apresenta risco de morte. O que você faria? Sem dúvida se mudaria de lá, se pudesse. Mas, depois de se mudar, ainda restaria esta pergunta importante: 'Será que fui contaminado?'

[2] Há uma situação similar relacionada com a religião falsa. A Bíblia ensina que esse tipo de adoração está contaminado com ensinos e práticas impuros. (2 Coríntios 6:17) É por isso que é importante você sair de "Babilônia, a Grande", o império mundial de religião falsa. (Apocalipse 18:2, 4) Você já fez isso? Em caso afirmativo, você merece elogios. Mas isso envolve mais do que apenas separar-se, ou desligar-se, de uma religião falsa. Depois disso, é preciso perguntar-se: 'Será que ainda restam vestígios da religião falsa em mim?' Veja alguns exemplos.

1, 2. Que pergunta é preciso fazer a si mesmo depois de deixar a religião falsa, e por que você acha isso importante?

IMAGENS E ADORAÇÃO DE ANTEPASSADOS

³ Há pessoas que já por anos têm imagens ou pequenos altares em casa. É esse o seu caso? Se assim for, talvez ache estranho ou errado rezar a Deus sem tais ajudas visíveis. É possível que sinta até mesmo forte afeição por alguns desses itens. Mas é Deus quem nos diz como ele deve ser adorado, e a Bíblia ensina que ele não quer que usemos imagens. **(Leia Êxodo 20:4, 5;** Salmo 115:4-8; Isaías 42:8; 1 João 5:21) Portanto, você poderá tomar posição em favor da adoração *verdadeira* destruindo quaisquer itens ligados à adoração *falsa* que talvez possua. Esteja decidido a encará-los como Jeová os encara — como algo "detestável". — Deuteronômio 27:15.

⁴ A adoração de antepassados é também bastante comum em muitas religiões falsas. Antes de aprender a verdade

---

3. (a) O que a Bíblia diz sobre o uso de imagens, e por que alguns talvez achem difícil aceitar o conceito de Deus? (b) O que deve fazer com quaisquer itens ligados à adoração falsa que você tenha?
4. (a) Como sabemos que a adoração de antepassados é inútil? (b) Por que Jeová proibiu seu povo de envolver-se em qualquer forma de ocultismo?

bíblica, alguns acreditavam que os mortos estivessem vivos num domínio invisível e que pudessem ajudar ou prejudicar os que vivem na Terra. Você talvez não medisse esforços para apaziguar seus antepassados falecidos. Mas, como vimos no Capítulo 6 deste livro, os mortos não têm existência consciente em nenhum lugar. Assim, as tentativas de comunicar-se com eles são inúteis. Qualquer mensagem que pareça vir de um ente querido falecido realmente se origina dos demônios. De modo que Jeová proibiu os israelitas de tentar falar com os mortos ou de participar em qualquer outra forma de ocultismo. — **Leia Deuteronômio 18:10-12.**

[5] Se o uso de imagens ou a adoração de antepassados fazia parte de seu anterior modo de adoração, o que você pode fazer? Leia textos bíblicos que mostram como Deus encara tais coisas e medite neles. Ore diariamente a Jeová a respeito de seu desejo de tomar posição em favor da adoração verdadeira, e peça que ele o ajude a pensar assim como ele pensa. — Isaías 55:9.

NATAL — NÃO ERA COMEMORADO PELOS PRIMEIROS CRISTÃOS

[6] A forma de adoração de alguns pode estar contaminada com a religião falsa no que diz respeito a certos feriados ou dias santificados. Veja o Natal, por exemplo. Supostamente comemora o nascimento de Jesus Cristo, e quase todas as religiões que se dizem cristãs o comemoram. No entanto, não existe evidência de que os discípulos de Jesus do primeiro século comemorassem esse dia. O livro *Sacred Origins of Profound Things* (Origens Sagradas de Coisas Profundas) diz: "Por dois séculos após o nascimento de Cristo, ninguém sa-

---

5. O que você pode fazer se, no passado, sua adoração incluía o uso de imagens ou a adoração de antepassados?
6, 7. (a) O que o Natal supostamente comemora, e será que os seguidores de Jesus do primeiro século o comemoravam? (b) A que estavam ligadas as celebrações de aniversários natalícios nos dias dos primeiros discípulos de Jesus?

bia, e poucos se importavam em saber, exatamente quando ele nasceu."

[7] Mesmo que os discípulos de Jesus soubessem a data de seu nascimento, eles não o celebrariam. Por quê? Porque, como diz a enciclopédia *World Book,* os primeiros cristãos "consideravam um costume pagão celebrar a data de nascimento de qualquer pessoa". As únicas comemorações de aniversários natalícios mencionadas na Bíblia são as de dois governantes que não adoravam a Jeová. (Gênesis 40:20; Marcos 6:21) As celebrações de aniversários natalícios eram também realizadas em honra de deuses pagãos. Por exemplo, no dia 24 de maio os romanos comemoravam o nascimento da deusa Diana e, no dia seguinte, o de seu deus-sol, Apolo. Assim, as celebrações de aniversários natalícios estavam ligadas ao paganismo, não ao cristianismo.

[8] Existe ainda outro motivo pelo qual os cristãos do primeiro século não comemorariam o aniversário de nascimento de Jesus. Eles provavelmente sabiam que as comemorações de aniversário natalício tinham ligação com superstições. Por exemplo, muitos gregos e romanos dos tempos antigos acreditavam que um espírito acompanhava o nascimento de cada ser humano e o protegia pelo resto da vida. "Esse espírito tinha uma relação mística com o deus cuja data de nascimento era a mesma que a da pessoa", diz o livro *The Lore of Birthdays* (A Tradição dos Aniversários Natalícios). Jeová certamente não se agradaria de qualquer celebração que ligasse Jesus com a superstição. (Isaías 65:11, 12) Então, como é que o Natal passou a ser celebrado por tantas pessoas?

A ORIGEM DO NATAL

[9] Só centenas de anos depois que Jesus viveu na Terra é

---

8. Explique a ligação entre as comemorações de aniversário natalício e a superstição.
9. Como foi que 25 de dezembro veio a ser o dia escolhido para comemorar o nascimento de Jesus?

que as pessoas começaram a celebrar seu nascimento em 25 de dezembro. Mas essa *não* era a data do nascimento de Jesus, que pelo visto ocorreu em outubro.* Então por que foi escolhido 25 de dezembro? Alguns que mais tarde afirmavam ser cristãos provavelmente "queriam que a data coincidisse com a festa romana pagã que marcava o 'nascimento do Sol invicto' ". (*The New Encyclopædia Britannica*) No inverno, quando o Sol parecia menos forte, os pagãos realizavam cerimônias para que essa fonte de calor e luz retornasse de suas viagens distantes. Pensava-se que 25 de dezembro fosse o dia em que o Sol começava a retornar. Num esforço de converter pagãos, os líderes religiosos adotaram essa festa e tentaram fazê-la parecer "cristã".#

[10] Há muito tempo se sabe que o Natal tem raízes pagãs. Por causa de sua origem não bíblica, no século 17 essa festividade foi proibida na Inglaterra e em algumas colônias americanas. Quem ficasse em casa e não fosse trabalhar no dia de Natal era multado. Mas os velhos costumes logo voltaram, e alguns novos foram acrescentados. O Natal voltou a ser um grande feriado religioso, e ainda é em muitos países. Em virtude de sua ligação com a religião falsa, porém, os que desejam agradar a Deus não comemoram o Natal, nem

Você comeria um doce encontrado no lixo?

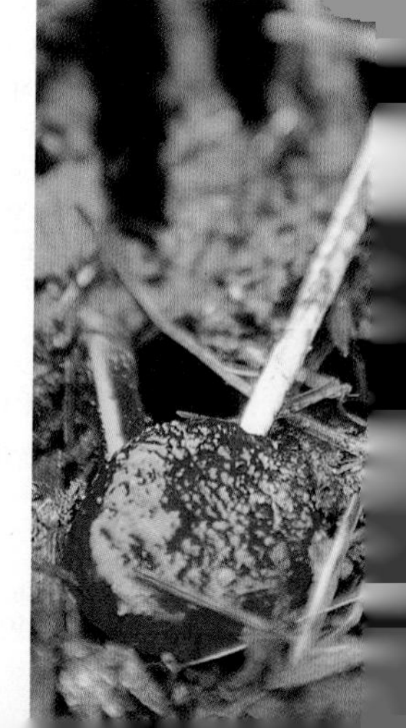

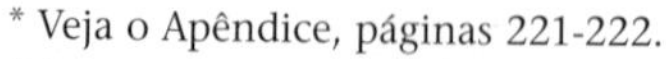

* Veja o Apêndice, páginas 221-222.

\# As saturnais também influíram na escolha de 25 de dezembro. Essas festas, em honra do deus romano da agricultura, ocorriam de 17 a 24 de dezembro. Eram marcadas por festejos, folias e troca de presentes.

10. Por que, em tempos passados, algumas pessoas não comemoravam o Natal?

qualquer outro feriado ou dia santificado que tenha raízes na adoração pagã.*

SERÁ QUE AS ORIGENS REALMENTE IMPORTAM?

11 Alguns concordam que certas festividades, como o Natal, têm origem pagã, mas mesmo assim não acham errado celebrá-las. Afinal, a maioria das pessoas não pensa em adoração falsa ao participar delas. Essas ocasiões são também uma oportunidade para as famílias se reunirem. É assim que você pensa? Em caso afirmativo, provavelmente é o amor à família, não o amor à religião falsa, que faz com que lhe pareça difícil tomar posição em favor da adoração verdadeira. Esteja certo de que Jeová, que originou a família, deseja que você tenha um bom relacionamento com seus familiares. (Efésios 3:14, 15) Mas você pode fortalecer tais vínculos de outras maneiras, sem desagradar a Deus. A respeito de qual deve ser o nosso maior interesse, o apóstolo Paulo escreveu: "Certifiquem-se sempre do que agrada ao Senhor." — Efésios 5:10.

12 Talvez você ache que as origens de certas festividades têm pouco a ver com a forma como são celebradas hoje. Será que as origens realmente importam? Sim! Para ilustrar: suponhamos que você visse um doce no lixo. Será que o pegaria para comer? Naturalmente que não, pois ele estaria sujo, ou impuro. Assim como esse doce, certas festividades podem parecer boas, mas têm origem impura. Para tomarmos posição em favor da adoração verdadeira, precisamos ter o mesmo conceito do profeta Isaías, que disse aos adoradores verdadeiros: "Não toquem em nada impuro." — Isaías 52:11.

---

* Para mais informações sobre como os cristãos verdadeiros encaram outros feriados ou dias santificados populares, veja o Apêndice, páginas 222-223.

---

11. Por que alguns celebram certas festividades, mas qual deve ser o nosso maior interesse?
12. Ilustre por que devemos evitar costumes e celebrações que não tenham uma boa origem.

TRATAR OUTROS COM DISCERNIMENTO

[13] Podem surgir desafios quando você decide não participar em certas festividades. Por exemplo, colegas de trabalho talvez se perguntem por que você não participa em certas comemorações no local de trabalho. Que dizer se lhe for oferecido um presente de Natal? Seria errado aceitá-lo? E se as crenças de seu cônjuge forem diferentes das suas? Como poderá certificar-se de que seus filhos não sintam que estão perdendo algo bom por não celebrarem certas festividades?

[14] É preciso bom senso para discernir como lidar com cada situação. Se alguém lhe fizer uma saudação relacionada com uma festividade, você poderá simplesmente agradecer à pessoa. Mas suponha que se trate de alguém com quem você tem contato constante, como no trabalho, por exemplo. Nesse caso, talvez queira dizer algo mais. Seja como for, use de tato. A Bíblia aconselha: "Que as suas palavras sejam sempre agradáveis, temperadas com sal, de modo que saibam como responder a cada pessoa." (Colossenses 4:6) Tome cuidado para não ser desrespeitoso. Em vez disso, explique jeitosamente a sua posição. Deixe claro que você não é contra dar presentes ou ir a reuniões sociais, mas que prefere fazer isso em outras ocasiões.

[15] Que dizer se alguém deseja lhe dar um presente? Depende muito das circunstâncias. Quem oferece o presente talvez diga: "Sei que você não comemora essa data. Mesmo assim, quero lhe dar isto." Você talvez decida que aceitar o presente nessas circunstâncias não é o mesmo que participar na comemoração. Naturalmente, se aquele que lhe dá o presente não conhece suas crenças, você poderia mencionar que não participa na comemoração em questão. Isso ajuda-

---

13. Que desafios podem surgir quando você não participa em certas festividades?
14, 15. Como você poderia agir caso alguém lhe fizesse uma saudação relacionada com uma festividade não bíblica ou desejasse lhe dar um presente nessa ocasião?

ria a explicar por que você aceita o presente, mas não dá outro em troca naquela ocasião. Por outro lado, seria sábio não aceitar o presente se for dado com a clara intenção de mostrar que você não se apega às suas crenças ou que transige quando há vantagem material.

QUE DIZER DOS FAMILIARES?

16 E se os membros de sua família não tiverem as mesmas crenças que você? Como em todos os casos, use de tato. Não é preciso implicar com todo e qualquer costume ou celebração em que seus familiares participem. Em vez disso, respeite o direito deles de ter suas próprias opiniões, assim como você deseja que eles respeitem seu direito nesse sentido. **(Leia Mateus 7:12.)** Evite fazer qualquer coisa que possa dar a impressão de que você participa na comemoração. Em todos os casos, seja razoável quando se trata de assuntos que não envolvam comemoração propriamente dita. Naturalmente, você deve agir sempre de um modo que o deixe com a consciência limpa. — **Leia 1 Timóteo 1:18, 19.**

17 O que você pode fazer para que seus filhos não sintam que estão perdendo algo pelo fato de a família não participar em festividades não bíblicas? Muito depende do que você faz em outras épocas do ano. Alguns pais programam ocasiões para dar presentes aos filhos. Um dos melhores presentes que você pode lhes dar é seu tempo e dedicação amorosa.

PRATIQUE A ADORAÇÃO VERDADEIRA

18 Para agradar a Deus, é preciso rejeitar a adoração falsa e tomar posição em favor da adoração verdadeira. O que

---

16. De que modo você pode usar de tato ao lidar com assuntos envolvendo feriados ou dias santificados?
17. Como você pode ajudar seus filhos a não sentir que estão perdendo algo quando observam que outros comemoram certos feriados ou dias santificados?
18. De que modo a frequência às reuniões cristãs pode ajudá-lo a tomar posição em favor da adoração verdadeira?

isso inclui? A Bíblia diz: "Pensemos uns nos outros para nos estimular ao amor e às boas obras, não deixando de nos reunir, como é costume de alguns, mas nos encorajando uns aos outros, e ainda mais ao passo que vocês veem chegar o dia." (Hebreus 10:24, 25) As reuniões cristãs são ocasiões felizes para você adorar a Deus de um modo que ele aprova. (Salmo 22:22; 122:1) Nessas reuniões os cristãos fiéis 'se encorajam mutuamente'. — Romanos 1:12.

[19] Outra maneira de tomar posição em favor da adoração verdadeira é falar a outros a respeito das coisas que você aprende no estudo da Bíblia com as Testemunhas de Jeová. Muitas pessoas realmente "suspiram e gemem" por causa da maldade que existe no mundo hoje. (Ezequiel 9:4) Talvez conheça alguns que se sentem assim. Acha que poderia falar-lhes a respeito de sua esperança bíblica para o futuro? À medida que você se associar com os cristãos verdadeiros e falar a outros sobre as maravilhosas verdades bíblicas que aprende, verá que qualquer desejo relacionado com os costumes da adoração falsa, que talvez ainda exista no seu coração, aos poucos vai desaparecer. Esteja certo de que você será muito feliz e receberá muitas bênçãos se tomar posição em favor da adoração verdadeira. — Malaquias 3:10.

---

19. Por que é importante que você fale a outros sobre as coisas que aprende da Bíblia?

O QUE A BÍBLIA ENSINA

- Nem imagens nem adoração de antepassados fazem parte da adoração verdadeira. — Êxodo 20:4, 5; Deuteronômio 18:10-12.
- É errado participar em festas que tenham origem pagã. — Efésios 5:10.
- Os cristãos verdadeiros devem usar de tato ao explicar as suas crenças. — Colossenses 4:6.

Praticar a adoração verdadeira resulta em felicidade genuína

CAPÍTULO DEZESSETE

Achegue-se a Deus em oração

Por que devemos orar a Deus?

O que é preciso fazer para ser ouvido por Deus?

Como Deus atende às orações?

EM COMPARAÇÃO com o vasto Universo, a Terra é bem pequena. De fato, para Jeová, "Aquele que fez o céu e a terra", as nações da humanidade são como uma gota de água num balde. (Salmo 115:15; Isaías 40:15) No entanto, a Bíblia diz: "Jeová está perto de todos os que o invocam, de todos os que o invocam em verdade. Ele satisfaz o desejo dos que o temem; ouve o seu clamor por ajuda." (Salmo 145:18, 19) Pense no que isso significa! O Criador todo-poderoso está perto de nós e nos ouvirá se 'o invocarmos em verdade'. Que privilégio é nos dirigir a Deus em oração!

[2] Se queremos que Jeová ouça nossas orações, porém, temos de orar a ele do modo que ele aprova. Como podemos fazer isso a menos que entendamos o que a Bíblia ensina sobre a oração? É vital sabermos o que as Escrituras dizem sobre esse assunto, pois a oração ajuda a achegar-nos a Jeová.

POR QUE ORAR A JEOVÁ?

[3] Um motivo importante para orar a Jeová é que ele nos

1, 2. Por que devemos encarar a oração como grande privilégio, e por que precisamos saber o que a Bíblia ensina sobre ela?
3. Qual é um dos motivos importantes para orar a Jeová?

"Aquele que fez o céu e a terra" está disposto a atender às nossas orações

convida a fazer isso. A sua Palavra nos incentiva: "Não fiquem ansiosos por causa de coisa alguma, mas em tudo, por orações e súplicas, junto com agradecimentos, tornem os seus pedidos conhecidos a Deus; e a paz de Deus, que está além de toda compreensão, guardará o seu coração e a sua mente por meio de Cristo Jesus." (Filipenses 4:6, 7) Certamente, não desejamos desprezar essa provisão bondosa do Governante Supremo do Universo!

4 Outro motivo para orar é que as orações regulares a Jeová são um meio de fortalecer nossa relação com ele. Amigos verdadeiros não se comunicam apenas quando precisam de alguma coisa. Em vez disso, bons amigos se interessam um pelo outro, e sua amizade se fortalece à medida que expressam seus pensamentos, preocupações e sentimentos. Em certos sentidos, a situação é parecida quando se trata de nossa relação com Jeová. Com a ajuda deste livro, você aprendeu muita coisa do que a Bíblia ensina sobre a personalidade e os propósitos de Jeová. Você veio a conhecê-lo como Pessoa real. A oração lhe dá a

---

4. Como a oração regular a Jeová fortalece nossa relação com ele?

oportunidade de expressar a seu Pai celestial seus pensamentos e sentimentos mais íntimos. Ao fazer isso, você se achega mais a ele. — Tiago 4:8.

QUE REQUISITOS PRECISAMOS CUMPRIR?

[5] Será que Jeová atende a todas as orações? Veja o que ele disse aos israelitas rebeldes nos dias do profeta Isaías: "Embora façam muitas orações, não escuto; suas mãos estão cheias de sangue." (Isaías 1:15) De modo que certas ações de nossa parte podem fazer com que Deus não atenda às nossas orações. Portanto, para que ele as atenda, temos de cumprir certos requisitos básicos.

[6] Um dos requisitos principais é ter fé. **(Leia Marcos 11:24.)** O apóstolo Paulo escreveu: "Sem fé é impossível agradar a Deus, pois quem se aproxima de Deus tem de crer que ele existe e que se torna o recompensador dos que o buscam seriamente." (Hebreus 11:6) A fé verdadeira envolve mais do que saber que Deus existe e que ele ouve e atende às orações. Nossas ações revelam se temos fé ou não. O nosso modo de viver deve deixar claro que temos fé. — Tiago 2:26.

[7] Jeová exige também que aqueles que se aproximam dele em oração façam isso com humildade e sinceridade. Será que não temos motivos para ser humildes ao falar com Jeová? A pessoa que tem a oportunidade de falar com um rei ou um presidente em geral faz isso respeitosamente, reconhecendo a elevada posição do governante. Quanto mais respeitosos devemos ser ao nos dirigir a Jeová! (Salmo 138:6) Afinal, ele é o "Deus Todo-Podero-

---

5. O que mostra que Jeová não atende a todas as orações?
6. Qual é um dos requisitos principais para que Deus atenda às nossas orações, e como podemos cumpri-lo?
7. (a) Por que devemos ser respeitosos ao falar com Jeová em oração? (b) Ao orarmos a Deus, como podemos mostrar humildade e sinceridade?

so". (Gênesis 17:1) Ao orarmos a Deus, o modo de nos dirigir a ele deve indicar que reconhecemos humildemente a nossa posição perante ele. Essa humildade também nos moverá a orar de coração, evitando orações rotineiras ou repetitivas. — Mateus 6:7, 8.

[8] Outro requisito para sermos ouvidos por Deus é que as nossas ações devem se harmonizar com as nossas orações. Jeová espera que façamos tudo ao nosso alcance para agirmos de acordo com o que oramos. Por exemplo, se pedimos "dá-nos hoje o nosso pão para este dia", temos de trabalhar arduamente em qualquer serviço que possamos realizar. (Mateus 6:11; 2 Tessalonicenses 3:10) Se oramos pedindo ajuda para vencer certa fraqueza carnal, temos de evitar circunstâncias e situações que poderiam nos levar à tentação. (Colossenses 3:5) Além desses requisitos básicos, há certas perguntas sobre oração que precisam ser respondidas.

RESPOSTAS A ALGUMAS PERGUNTAS SOBRE A ORAÇÃO

[9] *A quem devemos orar?* Jesus ensinou seus seguidores a orar ao 'Pai, que está nos céus'. (Mateus 6:9) Portanto, as orações devem ser dirigidas apenas a Jeová. Contudo, ele requer que reconheçamos a posição de seu Filho unigênito, Jesus Cristo. Como vimos no Capítulo 5, Jesus foi enviado à Terra para servir de resgate com o fim de nos redimir do pecado e da morte. (João 3:16; Romanos 5:12) Ele é o designado Sumo Sacerdote e Juiz. (João 5:22; Hebreus 6:20) Assim, as Escrituras nos instruem a fazer orações por meio de Jesus. Ele mesmo disse: "Eu sou o caminho, a verdade e a vida. Ninguém vem ao Pai senão por

---

8. Como podemos agir em harmonia com o que pedimos em oração?
9. A quem devemos orar, e por meio de quem?

mim." (João 14:6) Para que as orações sejam atendidas, temos de orar apenas *a* Jeová *por meio* de seu Filho.

[10] *É preciso colocar-se numa posição especial ao orar?* Não. Jeová não exige nenhuma postura específica, das mãos ou do corpo. A Bíblia ensina que é aceitável orar numa variedade de posições. Pode ser sentado, curvado, ajoelhado ou em pé. (1 Crônicas 17:16; Neemias 8:6; Daniel 6:10; Marcos 11:25) O que realmente importa não é uma postura especial que possa ser vista por outros, mas a atitude correta de coração. De fato, durante as nossas atividades diárias, ou diante de uma emergência, podemos fazer uma oração silenciosa a Jeová onde quer que estejamos. Ele ouve essas orações, embora talvez passem totalmente despercebidas pelas pessoas à nossa volta. — Neemias 2:1-6.

[11] *Pelo que podemos orar?* A Bíblia explica: "Não importa o que peçamos segundo a sua vontade, [Jeová] nos ouve." (1 João 5:14) Portanto, podemos orar por qualquer coisa que se harmonize com a vontade de Deus. Será que isso inclui orar a respeito de interesses pessoais? Certamente que sim! De certo modo, orar a Jeová é como falar com um amigo bem achegado. Podemos falar com franqueza, 'derramando nosso coração' perante Deus. (Salmo 62:8) É correto pedir espírito santo, que nos ajudará a fazer o que é certo. (Lucas 11:13) Podemos também pedir orientação para tomar decisões sábias e força para lidar com as dificuldades. (Tiago 1:5) Quando pecamos, devemos pedir perdão à base do sacrifício de Cristo. (Efésios 1:3, 7) Naturalmente, coisas pessoais não devem ser os únicos assuntos de oração. Devemos tornar nossas orações mais abrangentes incluindo outras pessoas, como

---

10. Por que não se exige nenhuma postura específica ao orarmos?
11. Quais são alguns dos interesses pessoais pelos quais é apropriado orar?

membros da família ou irmãos na fé. — Atos 12:5; Colossenses 4:12.

12 Assuntos relacionados com Jeová devem ter prioridade nas nossas orações. Certamente temos motivos para expressar-lhe louvor e agradecimentos de coração por toda a sua bondade. (1 Crônicas 29:10-13) Jesus forneceu a oração-modelo, registrada em **Mateus 6:9-13**, e por meio dela nos ensinou a orar para que o nome de Deus fosse santificado, isto é, tratado como santo, ou sagrado. **(Leia.)** A seguir pede-se que o Reino de Deus venha e que a vontade divina seja feita na Terra assim como é feita no céu. Foi somente depois de ter abordado esses importantes assuntos referentes a Jeová que Jesus deu atenção a interesses pessoais. Da mesma forma, ao darmos a Deus o primeiro lugar nas orações, mostramos que não estamos interessados apenas no nosso próprio bem-estar.

13 *Quanto tempo devem durar as orações?* A Bíblia não especifica o tempo que devem durar as orações pessoais ou públicas. Elas podem variar desde uma breve oração antes de uma refeição a uma longa oração pessoal, em que abrimos nosso coração a Jeová. (1 Samuel 1:12, 15) No entanto, Jesus condenou os hipócritas que faziam orações longas e ostensivas na frente de outros. (Lucas 20:46, 47) Tais orações não impressionam a Jeová. O importante é orar de coração. Assim, a duração de orações aceitáveis pode variar segundo as necessidades e as circunstâncias.

14 *Com quanta frequência devemos orar?* A Bíblia nos incentiva a 'orar continuamente', a 'perseverar em oração' e

---

12. Como podemos, nas orações, dar prioridade aos assuntos relacionados com nosso Pai celestial?
13. O que as Escrituras indicam quanto ao tempo que devem durar as orações aceitáveis?
14. O que a Bíblia quer dizer quando nos incentiva a 'orar continuamente', e o que é consolador nesse respeito?

a 'orar constantemente'. (Mateus 26:41; Romanos 12:12; 1 Tessalonicenses 5:17) É claro que isso não significa que temos de orar a Jeová a cada instante do dia. Em vez disso, a Bíblia nos exorta a orar com regularidade, agradecendo continuamente a Jeová por sua bondade para conosco e buscando sua orientação, consolo e força. Não é consolador saber que Jeová não limita a duração nem a frequência com que podemos falar com ele em oração? Se realmente apreciarmos o privilégio da oração, encontraremos muitas oportunidades para orar ao nosso Pai celestial.

15 *Por que devemos dizer "Amém" no fim de uma oração?* A palavra "amém" significa "certamente", ou "assim seja". Exemplos bíblicos mostram que é apropriado dizer "Amém" no fim de orações pessoais e públicas. (1 Crônicas 16:36; Salmo 41:13) Por dizer "Amém" no final de nossas próprias orações nós confirmamos que as expressões foram feitas com sinceridade. Quando dizemos "Amém" — em silêncio ou em voz alta — no fim de uma oração feita por outra pessoa, indicamos que estamos de acordo com as ideias expressas. — 1 Coríntios 14:16.

COMO DEUS ATENDE ÀS ORAÇÕES

16 Será que Jeová atende mesmo às orações? Certamente que sim! Temos base firme para confiar que o "Ouvinte de oração" atende a orações sinceras feitas por milhões de seres humanos. (Salmo 65:2) A resposta de Jeová às orações pode vir de diversas maneiras.

17 Jeová usa seus anjos e seus servos terrestres para atender às orações. (Hebreus 1:13, 14) Há muitos casos de

---

15. Por que devemos dizer "Amém" no fim de orações pessoais e públicas?
16. Que confiança podemos ter com respeito à oração?
17. Por que se pode dizer que Deus usa anjos e servos terrestres para atender às orações?

pessoas que oravam a Deus por ajuda para entender a Bíblia e que, logo depois, foram contatadas por um servo de Jeová. Casos assim são evidência de que os anjos dirigem a obra de pregação do Reino. (Apocalipse 14:6) Em resposta às orações feitas numa ocasião de real necessidade, Jeová pode motivar um cristão a nos ajudar. — Provérbios 12:25; Tiago 2:16.

18 Jeová usa também seu espírito santo e sua Palavra,

---

18. Como Jeová usa seu espírito santo e sua Palavra para atender às orações de seus servos?

As nossas orações podem ser ouvidas em qualquer ocasião

Em resposta às nossas orações, Jeová pode motivar um cristão a nos ajudar

a Bíblia, para atender às orações de seus servos. Se orarmos pedindo ajuda para lidar com provações, ele talvez responda dando orientações e força por meio de seu espírito santo. (2 Coríntios 4:7) Em muitos casos, a resposta às orações em que pedimos orientação vem da Bíblia, por meio da qual Jeová nos ajuda a tomar decisões sábias. Textos bíblicos úteis podem ser encontrados no nosso estudo pessoal da Bíblia e ao lermos publicações cristãs, como este livro. Pontos bíblicos que precisamos considerar talvez nos sejam trazidos à atenção numa reunião cristã, ou por meio de palavras de um amoroso ancião na congregação. — Gálatas 6:1.

[19] Qualquer aparente demora de Jeová em atender às nossas orações jamais seria por ele ser incapaz de atendê-las. É preciso lembrar-se de que Jeová atende às orações segundo a Sua vontade e no Seu devido tempo. Melhor do que nós mesmos, ele sabe do que precisamos e como cuidar disso. Muitas vezes ele deixa que 'persistamos em pedir, em buscar e em bater'. (Lucas 11:5-10) Por meio dessa perseverança, Deus vê que nosso desejo é intenso e que nossa fé é genuína. Além disso, Jeová

---

19. De que temos de nos lembrar se, às vezes, parece que as nossas orações não são atendidas?

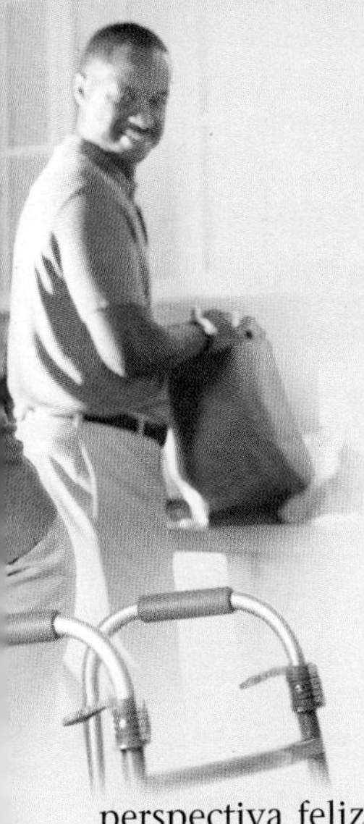

talvez atenda às orações de um modo que não percebamos claramente. Por exemplo, ele pode atender às nossas orações a respeito de uma provação específica, não por remover a dificuldade, mas por nos dar força para suportá-la. — **Leia Filipenses 4:13.**

[20] Quanta gratidão podemos sentir por saber que o Criador deste vasto Universo "está perto de todos os que o invocam" corretamente em oração! **(Leia Salmo 145:18.)** Aproveitemos ao máximo o privilégio precioso da oração. Se fizermos isso, teremos a perspectiva feliz de nos achegar ainda mais a Jeová, o Ouvinte de orações.

---

20. Por que devemos aproveitar ao máximo o precioso privilégio da oração?

O QUE A BÍBLIA ENSINA

- Orar regularmente a Jeová ajuda a achegar-nos a ele. — Tiago 4:8.
- Para que as nossas orações sejam atendidas por Deus, temos de orar com fé, humildade e sinceridade. — Marcos 11:24.
- As orações devem ser dirigidas somente a Jeová por meio de seu Filho. — Mateus 6:9; João 14:6.
- Jeová, o "Ouvinte de oração", usa seus anjos, seus servos terrestres, seu espírito santo e sua Palavra para atender às orações. — Salmo 65:2.

CAPÍTULO DEZOITO

O batismo e a relação da pessoa com Deus

Como se realiza o batismo cristão?

Que passos você precisa dar para se habilitar ao batismo?

Como a pessoa faz a dedicação a Deus?

Qual o motivo principal para alguém ser batizado?

"VEJA! Aqui há água! O que me impede de ser batizado?" Essa pergunta foi feita por um funcionário da corte etíope no primeiro século. Um cristão chamado Filipe havia lhe provado que Jesus era o Messias prometido. Pro-

1. Por que certo funcionário da corte etíope pediu para ser batizado?

fundamente comovido pelo que havia aprendido das Escrituras, o etíope decidiu agir. Ele demonstrou que desejava ser batizado. — Atos 8:26-36.

2 Se você estudou atentamente os capítulos anteriores deste livro com uma Testemunha de Jeová, é possível que se sinta motivado a perguntar: 'O que *me* impede de ser batizado?' Você já aprendeu a respeito da promessa bíblica de vida eterna no Paraíso. (Lucas 23:43; Apocalipse 21:3, 4) Aprendeu também qual é a verdadeira condição dos mortos e sobre a esperança da ressurreição. (Eclesiastes 9:5; João 5:28, 29) É provável que venha frequentando as reuniões congregacionais das Testemunhas de Jeová e tenha observado pessoalmente que elas praticam a religião verdadeira. (João 13:35) Mais importante ainda, é provável que já tenha começado a desenvolver uma relação pessoal com Jeová.

3 Como você pode mostrar que deseja servir a Deus? Jesus disse aos seus seguidores: "Vão e façam discípulos de pessoas de todas as nações, *batizando-as.*" (Mateus 28:19) O próprio Jesus deu o exemplo por ser batizado em água. Ele não foi aspergido com água nem lhe derramaram um pouco de água na cabeça. (Mateus 3:16) A palavra "batizar" vem de um termo grego que significa "mergulhar em água". Assim, o batismo cristão significa ser totalmente mergulhado, ou imerso, em água.

4 O batismo em água é um requisito para todos os que desejam ter uma relação com Jeová. Indica publicamente seu desejo de servir a Deus. Mostra que você tem prazer em fazer a vontade dele. (Salmo 40:7, 8) Para habilitar-se ao batismo, porém, é preciso dar certos passos específicos.

---

2. Por que você deve pensar seriamente a respeito do batismo?
3. (a) Que ordem Jesus deu aos seus seguidores? (b) Como é realizado o batismo em água?
4. O que o batismo em água indica?

É PRECISO TER CONHECIMENTO E FÉ

[5] Você já começou a dar o primeiro passo. Como? *Conhecendo* a Jeová e a Jesus Cristo, talvez por meio de um estudo sistemático da Bíblia. **(Leia João 17:3.)** Mas há mais coisas a aprender. Os cristãos desejam ficar "cheios do conhecimento exato da vontade [de Deus]". (Colossenses 1:9) Assistir às reuniões congregacionais das Testemunhas de Jeová é de grande ajuda nesse respeito. É importante frequentar essas reuniões. (Hebreus 10:24, 25) Isso o ajudará a conhecer a Deus.

[6] Naturalmente, você não precisa saber tudo da Bíblia para habilitar-se ao batismo. O funcionário da corte etíope tinha *algum* conhecimento, mas precisava de ajuda para entender certas partes das Escrituras. (Atos 8:30, 31) Da mesma forma, você ainda tem muito que aprender. Na realidade, nunca vai parar de aprender sobre Deus. (Eclesiastes 3:11) Antes de ser batizado, porém, é preciso conhecer e aceitar pelo menos os ensinos básicos da Bíblia. (Hebreus 5:12) Esses ensinos incluem a verdade sobre a condição dos mortos e a importância do nome de Deus e de seu Reino.

[7] Apenas ter conhecimento não basta, pois "sem fé é impossível agradar a Deus". (Hebreus 11:6) Segundo a Bíblia, quando certas pessoas ouviram a mensagem cristã na antiga cidade de Corinto, elas 'passaram a crer e foram batizadas'. (Atos 18:8) Do mesmo modo, pelo estudo da Bíblia você passa a ter *fé* que ela é a inspirada Palavra de Deus. O estudo bíblico deve ajudá-lo a ter fé nas promessas de Deus e no poder de salvação do sacrifício de Jesus. —Josué 23:14; Atos 4:12; 2 Timóteo 3:16, 17.

---

5. (a) Qual é o primeiro passo para se habilitar ao batismo? (b) Por que as reuniões cristãs são importantes?
6. Quanto conhecimento bíblico você precisa ter para se habilitar ao batismo?
7. Que efeito o estudo da Bíblia deve ter sobre você?

FALAR DAS VERDADES BÍBLICAS A OUTROS

[8] À medida que a fé aumentar no seu coração, achará difícil guardar para si o que aprendeu. (Jeremias 20:9) Sentirá uma forte motivação para falar a outros sobre Deus e seus propósitos. — **Leia 2 Coríntios 4:13.**

[9] Você poderá começar a falar, com jeito, sobre as verdades bíblicas com parentes, amigos, vizinhos e colegas de trabalho. Com o tempo, é provável que queira participar na pregação organizada, feita pelas Testemunhas de Jeová. Nesse caso, sinta-se à vontade para falar sobre isso com a Testemunha de Jeová que está lhe ensinando a Bíblia. Se parecer evidente que você se qualifica para participar na obra de pregação, será providenciada uma reunião entre você, seu instrutor e dois anciãos da congregação.

[10] Com isso você poderá conhecer melhor alguns anciãos cristãos, que pastoreiam o rebanho de Deus. (Atos 20:28; 1 Pedro 5:2, 3) Se esses anciãos observarem que você conhece os ensinos bíblicos básicos e crê neles, vive de acordo com os princípios de Deus e realmente deseja ser Testemunha de Jeová, eles o informarão de que você está habilitado para participar no ministério de campo como publicador das boas novas não batizado.

[11] No entanto, pode ser que você precise fazer algumas mudanças no seu estilo de vida e nos seus hábitos a fim de qualificar-se para o ministério de campo. Isso pode incluir abandonar certas práticas que até agora eram mantidas em segredo. Assim, antes de pedir para tornar-se publicador não batizado, você deverá estar livre de pecados graves,

---

8. O que o motivará a falar a outros sobre o que aprendeu?
9, 10. (a) Com quem você poderá começar a falar sobre as verdades bíblicas? (b) O que você deve fazer caso queira participar na pregação organizada, feita pelas Testemunhas de Jeová?
11. Que mudanças alguns talvez tenham de fazer para habilitar-se ao ministério de campo?

como imoralidade sexual, embriaguez ou uso de drogas. — **Leia 1 Coríntios 6:9, 10; Gálatas 5:19-21.**

ARREPENDIMENTO E CONVERSÃO

[12] Mais alguns passos são necessários para você se habilitar ao batismo. O apóstolo Pedro disse: "Arrependam-se . . . e deem meia-volta, a fim de que os seus pecados sejam apagados." (Atos 3:19) Arrepender-se significa lamentar sinceramente algo que se tenha feito. O *arrependimento* com certeza é apropriado caso a pessoa tenha levado uma vida imoral, mas também é necessário mesmo que tenha levado uma vida relativamente limpa em sentido moral. Por quê? Porque todos os humanos são pecadores e precisam do perdão de Deus. (Romanos 3:23; 5:12) Antes de estudar a Bíblia, você não conhecia a vontade de Deus. Nesse caso, como poderia ter vivido em plena harmonia com a Sua vontade? Portanto, o arrependimento é necessário.

[13] O arrependimento precisa vir acompanhado da *conversão,* ou seja, 'dar meia-volta'. É preciso mais do que apenas lamentar o que fez. É preciso rejeitar o modo de vida anterior e estar firmemente decidido a fazer daí em diante o que é certo. O arrependimento e a conversão são passos que a pessoa tem de dar antes de ser batizada.

SUA DEDICAÇÃO PESSOAL

[14] Há ainda outro passo importante a dar antes de ser batizado. Você precisa fazer a *dedicação* a Jeová Deus.

[15] Ao fazer a dedicação a Jeová por meio de uma oração fervorosa, você promete dar a ele sua devoção exclusiva

---

12. Por que o arrependimento é necessário?
13. O que é conversão?
14. Que passo importante você precisa dar antes de ser batizado?
15, 16. O que significa fazer a dedicação a Deus, e o que motiva a pessoa a fazer isso?

para sempre. (Deuteronômio 6:15) Mas por que alguém desejaria fazer isso? Bem, suponha que um homem comece a namorar uma mulher. Quanto mais ele a conhece e nota suas boas qualidades, mais se sente atraído a ela. Com o tempo, é natural que a peça em casamento. É verdade que casar-se significará assumir responsabilidades adicionais. Mas o amor o moverá a dar esse passo importante.

16 Quando passa a conhecer a Jeová e a amá-lo, você se sente motivado a servi-lo sem reservas, ou a adorá-lo sem impor limites. Quem deseja seguir o Filho de Deus, Jesus Cristo, deve 'negar a si mesmo'. (Marcos 8:34) Negamos a nós mesmos no sentido de não permitir que desejos e alvos pessoais impeçam nossa obediência total a Deus. Portanto, antes de você poder ser batizado, seu objetivo principal na vida tem de ser fazer a vontade de Jeová. — **Leia 1 Pedro 4:2.**

COMO VENCER O MEDO DE FALHAR

17 Alguns hesitam em dedicar-se a Jeová porque receiam dar esse passo tão sério. Talvez temam que, como cristãos dedicados, tenham de prestar contas a Deus. Com receio de falhar e desapontá-lo, eles acham melhor não se dedicar a ele.

18 À medida que aprender a amar a Jeová, você se sentirá motivado a dedicar-se a ele e a fazer o máximo para viver à altura dessa dedicação. (Eclesiastes 5:4) Depois de ter feito a dedicação, com certeza desejará 'andar de um modo digno de Jeová, a fim de lhe agradar plenamente'. (Colossenses 1:10) Por causa de seu amor a ele, você não achará que fazer a vontade de Deus seja difícil demais. Sem dúvida concordará com o apóstolo João, que escreveu:

---

17. Por que alguns hesitam em dedicar-se a Deus?
18. O que pode motivá-lo a dedicar-se a Jeová?

Adquirir conhecimento exato da Palavra de Deus é um passo importante para habilitar-se ao batismo

A fé deve motivá-lo a falar a outros sobre o que você acredita

"O amor de Deus significa o seguinte: que obedeçamos aos seus mandamentos; contudo, os seus mandamentos não são pesados." — 1 João 5:3.

19 Você não precisa ser perfeito para fazer a dedicação a Deus. Ele conhece suas limitações e jamais espera que faça mais do que pode fazer. (Salmo 103:14) Jeová deseja que você seja bem-sucedido e lhe dará apoio e ajuda. (**Leia Isaías 41:10.**) Pode ter certeza de que, se confiar nele de todo o coração, "ele endireitará as suas veredas". — Provérbios 3:5, 6.

---

19. Por que você não precisa ter receio de fazer a dedicação a Deus?

SIMBOLIZE SUA DEDICAÇÃO POR MEIO DO BATISMO

20 Meditar sobre o que acabamos de considerar poderá ajudá-lo a fazer uma dedicação pessoal a Jeová em oração. Todo aquele que realmente ama a Deus precisa também fazer uma "declaração pública visando a salvação". (Romanos 10:10) De que modo você pode fazer isso?

---

20. Por que a dedicação a Jeová não pode ser mantida como assunto particular?

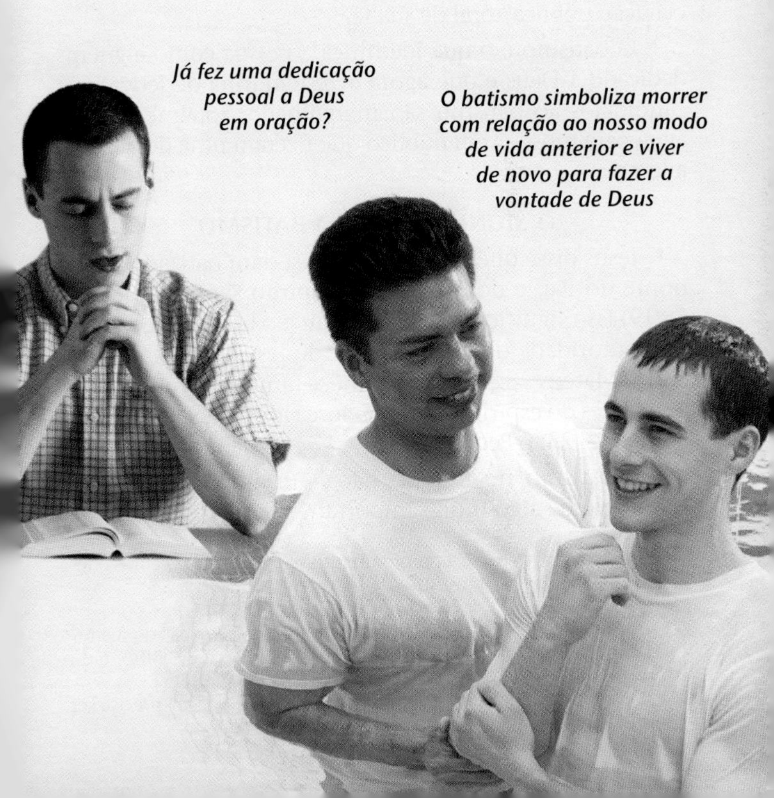

Já fez uma dedicação pessoal a Deus em oração?

O batismo simboliza morrer com relação ao nosso modo de vida anterior e viver de novo para fazer a vontade de Deus

[21] Fale ao coordenador do corpo de anciãos de sua congregação sobre seu desejo de ser batizado. Ele providenciará que alguns anciãos recapitulem com você certas perguntas que abrangem os ensinos básicos da Bíblia. Se esses anciãos concordarem que você está habilitado, eles o informarão de que poderá ser batizado numa próxima oportunidade.* Nas ocasiões em que há batismos, costuma haver um discurso que recapitula seu significado. Em seguida, o orador convida os candidatos ao batismo a responder a duas perguntas simples, como forma de "declaração pública" oral de sua fé.

[22] O batismo é o que identifica a pessoa como alguém dedicado a Deus e que agora é Testemunha de Jeová. Os candidatos ao batismo são mergulhados totalmente em água para mostrar em público que fizeram uma dedicação a Jeová.

O SIGNIFICADO DO BATISMO

[23] Jesus disse que seus discípulos seriam batizados "em nome do Pai, e do Filho, e do espírito santo". (Mateus 28:19) Isso significa que o candidato ao batismo reconhece a autoridade de Jeová Deus e de Jesus Cristo. (Salmo 83:18; Mateus 28:18) Ele reconhece também a função e as operações do espírito santo, ou força ativa, de Deus. — Gálatas 5:22, 23; 2 Pedro 1:21.

[24] O batismo, no entanto, não é um simples mergulho. É símbolo de algo muito importante. Ser mergulhado na

---

* Batismos fazem parte da programação nas assembleias e nos congressos anuais das Testemunhas de Jeová.

21, 22. Como você poderá fazer uma "declaração pública" de sua fé?
23. O que significa ser batizado "em nome do Pai, e do Filho, e do espírito santo"?
24, 25. (a) O que o batismo simboliza? (b) Que pergunta precisa ser respondida?

água simboliza que a pessoa morre com relação ao seu modo de vida anterior. Ser erguido da água indica que, a partir de então, ela vive para fazer a vontade de Deus. Deve-se ter em mente também que a pessoa faz uma dedicação ao próprio Jeová, não a um trabalho, a uma causa, a outros humanos ou a uma organização. Sua dedicação e batismo é o início de uma forte amizade com Deus — uma relação bem achegada com ele. — Salmo 25:14.

25 O batismo não garante a salvação. O apóstolo Paulo escreveu: "Persistam em produzir a sua própria salvação com temor e tremor." (Filipenses 2:12) O batismo é apenas um começo. Resta a pergunta: Como você pode permanecer no amor de Deus? O último capítulo deste livro fornecerá a resposta.

O QUE A BÍBLIA ENSINA

- O batismo cristão envolve mergulhar a pessoa totalmente em água; não é apenas uma aspersão. — Mateus 3:16.
- Os primeiros passos para o batismo envolvem conhecer a Jeová e a Jesus e mostrar fé, seguidos de arrependimento, conversão e dedicação pessoal a Deus. — João 17:3; Atos 3:19; 18:8.
- Para fazer uma dedicação a Jeová, você precisa negar a si mesmo, assim como muitos fizeram para seguir a Jesus. — Marcos 8:34.
- O batismo simboliza morrer com relação ao modo de vida anterior e viver de novo para fazer a vontade de Deus. — 1 Pedro 4:2.

CAPÍTULO DEZENOVE

Permaneça no amor de Deus

O que significa amar a Deus?

Como podemos permanecer no amor de Deus?

Como Jeová recompensará os que permanecerem no seu amor?

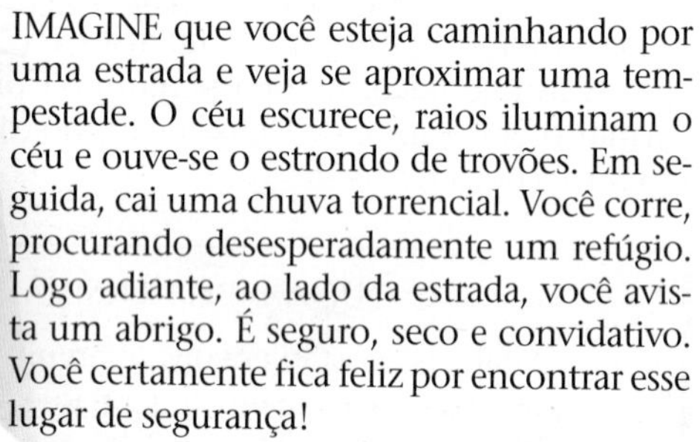

Fará de Jeová seu refúgio nesta época tempestuosa?

IMAGINE que você esteja caminhando por uma estrada e veja se aproximar uma tempestade. O céu escurece, raios iluminam o céu e ouve-se o estrondo de trovões. Em seguida, cai uma chuva torrencial. Você corre, procurando desesperadamente um refúgio. Logo adiante, ao lado da estrada, você avista um abrigo. É seguro, seco e convidativo. Você certamente fica feliz por encontrar esse lugar de segurança!

[2] Vivemos numa época tempestuosa. As condições mundiais vão de mal a pior. Mas existe um abrigo seguro, um refúgio que pode nos manter protegidos contra o dano permanente. De que se trata? Note o que a Bíblia ensina: "Vou dizer a Jeová: 'Tu és meu refúgio e minha fortaleza; meu Deus, em quem confio.'" — Salmo 91:2.

[3] Imagine! Jeová, o Criador e Soberano do Universo, pode ser nosso refúgio. Ele pode nos manter seguros, pois é muito mais po-

1, 2. Onde podemos encontrar um refúgio seguro hoje em dia?
3. Como podemos fazer de Jeová nosso refúgio?

deroso do que qualquer pessoa ou coisa que possa nos causar dano. Mesmo se formos prejudicados, Jeová pode desfazer todos os maus efeitos. Como podemos fazer de Jeová nosso refúgio? Temos de confiar nele. Além disso, a Palavra de Deus nos exorta: "Mantenham-se no amor de Deus." (Judas 21) De fato, temos de permanecer no amor de Deus, mantendo um vínculo de amor com o nosso Pai celestial. Nesse caso, podemos estar certos de que ele é nosso refúgio. Mas como formar tal vínculo?

RECONHEÇA O AMOR DE DEUS E CORRESPONDA A ELE

4 Para permanecer no amor de Deus, temos de reconhecer o amor que Jeová demonstra por nós. Pense em alguns ensinos bíblicos que você aprendeu com a ajuda deste livro. Como Criador, Jeová nos deu a Terra como lar agradável, suprindo-a com fartos recursos de alimento e água, riquezas naturais, fascinante vida animal e belas paisagens. Como Autor da Bíblia, Deus nos revelou seu nome e suas qualidades. Além disso, sua Palavra mostra que ele enviou à Terra seu amado Filho, Jesus, permitindo que ele sofresse e morresse por nós. (João 3:16) E o que essa dádiva significa para nós? Ela nos dá a esperança de um futuro maravilhoso.

5 A nossa esperança para o futuro depende também de algo mais que Deus fez. Ele estabeleceu um governo celestial, o Reino Messiânico. Este em breve acabará com todo o sofrimento e fará da Terra um paraíso. Pense nisso! Poderemos viver nesse paraíso para sempre em paz e felicidade. (Salmo 37:29) Enquanto isso, Deus nos tem dado orientações sobre como viver da melhor maneira possível agora. Ele também nos deu a dádiva da oração, uma linha aberta de comunicação com ele. Essas são apenas algumas maneiras pelas quais Jeová tem demonstrado amor pela

---

4, 5. Quais são algumas das maneiras pelas quais Jeová tem demonstrado amor por nós?

humanidade em geral e por você em particular.

[6] Faça a si mesmo esta pergunta importante: Como vou corresponder ao amor de Jeová? Muitos dirão: 'Amando a ele da mesma maneira.' É assim que você pensa? Jesus disse que o maior mandamento de todos é: "Ame a Jeová, seu Deus, de todo o seu coração, de toda a sua alma e de toda a sua mente." (Mateus 22:37) Você certamente tem muitos motivos para amar a Jeová. Mas será que *sentir* esse amor é tudo o que está envolvido em amar a Jeová de todo o coração, alma e mente?

[7] Conforme explicado na Bíblia, o amor a Deus é muito mais do que um sentimento. De fato, embora o sentimento de amor a Jeová seja essencial, é apenas o começo de um verdadeiro amor por ele. Uma semente de maçã é essencial para produzir uma macieira. Mas, se você desejasse uma maçã, ficaria satisfeito se alguém lhe desse apenas uma semente? Certamente que não! Do mesmo modo, o sentimento de amor a Jeová é apenas o começo. A Bíblia ensina: "O amor de Deus significa o seguinte: que obedeçamos aos seus mandamentos; contudo, os seus mandamentos não são pesados." (1 João 5:3) Para ser genuíno, o amor a Deus tem de produzir bons frutos. Precisa ser expresso em ações. — **Leia Mateus 7:16-20.**

[8] Mostramos amor a Deus obedecendo aos seus mandamentos e aplicando seus princípios. Fazer isso não é muito difícil. Longe de ser uma carga, as leis de Jeová são feitas para nos ajudar a ter uma vida agradável, feliz e gratificante. (Isaías 48:17, 18) Por vivermos de acordo com as orientações

---

6. Como você pode corresponder ao amor que Jeová lhe tem demonstrado?
7. Será que amar a Deus envolve apenas um sentimento? Explique.
8, 9. Como podemos expressar amor e gratidão a Deus?

de Jeová, mostramos ao nosso Pai celestial que realmente prezamos tudo o que ele tem feito por nós. Infelizmente, bem poucas pessoas no mundo de hoje mostram tal apreço. Não queremos ser mal-agradecidos, como alguns que viveram na época em que Jesus esteve na Terra. Certa vez, ele curou dez leprosos, mas *apenas um* voltou para agradecer-lhe. (Lucas 17:12-17) Com certeza, queremos ser como aquele que se mostrou grato, não como os nove ingratos!

9 Quais são, então, os mandamentos de Jeová que temos de obedecer? Consideramos um bom número deles neste livro, mas vamos recapitular alguns. Obedecer aos mandamentos de Deus nos ajudará a permanecer no seu amor.

ACHEGUE-SE CADA VEZ MAIS A JEOVÁ

10 Aprender a respeito de Jeová é um passo vital para nos achegar a ele. É um processo que não deve parar. Se numa noite bem fria você estivesse ao ar livre aquecendo-se junto a uma fogueira, permitiria

10. Explique por que é importante continuar a aprender sobre Jeová Deus.

Assim como o fogo, seu amor a Jeová precisa de combustível para manter-se aceso

que as chamas diminuíssem até se apagarem? Não. Você continuaria a pôr mais lenha para manter o fogo bem aceso. A sua própria vida poderia estar em jogo! Assim como a lenha alimenta a fogueira, "o conhecimento de Deus" mantém forte nosso amor a Jeová. — Provérbios 2:1-5.

[11] Jesus queria que o amor de seus seguidores a Jeová e à sua preciosa Palavra da verdade se mantivesse vivo e bem aceso. Depois de sua ressurreição, Jesus explicou a dois de seus discípulos algumas profecias das Escrituras Hebraicas que se cumpriram nele. Com que resultado? Mais tarde, esses discípulos disseram: "Não sentíamos arder o coração dentro de nós quando ele nos falava na estrada, ao nos abrir plenamente as Escrituras?" — Lucas 24:32.

[12] Quando você começou a aprender o que a Bíblia realmente ensina, não sentiu seu coração "arder" de alegria, zelo e amor a Deus? Sem dúvida. Muitos sentiram a mesma coisa. O desafio agora é manter vivo esse amor intenso e fazer com que aumente cada vez mais. Não queremos seguir a tendência do mundo de hoje. Jesus predisse: "O amor da maioria esfriará." (Mateus 24:12) Como você pode evitar que seu amor a Jeová e às verdades bíblicas se esfrie?

[13] Continue a aprender sobre Jeová Deus e Jesus Cristo. (João 17:3) Medite, ou pense profundamente, a respeito do que você aprende na Palavra de Deus, perguntando-se: 'O que isso me ensina a respeito de Jeová? Que motivo adicional isso me dá para amá-lo de todo o coração, mente e alma?' **(Leia 1 Timóteo 4:15.)** Essa meditação manterá bem aceso seu amor a Jeová.

[14] Outra maneira de manter bem aceso seu amor a Jeová

---

11. Que efeito o ensino de Jesus teve sobre seus discípulos?

12, 13. (a) O que aconteceu com a maioria das pessoas hoje com relação ao amor a Deus e à Bíblia? (b) Como podemos evitar que o nosso amor esfrie?

14. Como a oração pode nos ajudar a manter vivo nosso amor a Jeová?

é orar regularmente. (1 Tessalonicenses 5:17) No Capítulo 17 deste livro vimos que a oração é uma dádiva preciosa de Deus. Assim como a comunicação regular e aberta promove boas relações humanas, a nossa relação com Jeová se mantém cordial e viva quando oramos a ele regularmente. É vital nunca permitir que nossas orações se tornem mecânicas — simples palavras de rotina que repetimos vez após vez sem verdadeiro sentimento ou significado. Temos de falar com Jeová assim como uma criança fala com seu pai querido. Naturalmente, queremos falar com respeito, porém com sinceridade e de coração. (Salmo 62:8) De fato, o estudo pessoal da Bíblia e as orações sinceras são aspectos vitais da nossa adoração, e nos ajudam a permanecer no amor de Deus.

ENCONTRE ALEGRIA NA ADORAÇÃO A DEUS

15 O estudo pessoal da Bíblia e as orações são atos de adoração que podemos realizar em particular. Mas vejamos agora um aspecto da adoração que realizamos publicamente: falar a outros a respeito de nossas crenças. Você já falou com alguém sobre algumas verdades bíblicas? Em caso afirmativo, você teve um grande privilégio. (Lucas 1:74) Quando falamos a outros sobre as verdades que aprendemos a respeito de Jeová, estamos cumprindo uma designação muito importante que foi dada a todos os cristãos verdadeiros: pregar as boas novas do Reino de Deus. — **Leia Mateus 24:14; 28:19, 20.**

16 O apóstolo Paulo considerava seu ministério como algo precioso — um tesouro. (2 Coríntios 4:7) Falar a outros sobre Jeová e seus propósitos é o trabalho mais gratificante que se pode realizar. É serviço prestado ao melhor Amo que existe e resulta nos melhores benefícios possíveis. Ao participar nessa atividade você estará ajudando pessoas sinceras a se

---

15, 16. Por que a pregação do Reino pode ser corretamente considerada um privilégio e um tesouro?

achegar ao nosso Pai celestial e a entrar no caminho que leva à vida eterna! Que outro trabalho poderia ser mais satisfatório? Além disso, dar testemunho a respeito de Jeová e de sua Palavra aumenta sua própria fé e fortalece seu amor a ele. E Jeová aprecia seus esforços. (Hebreus 6:10) Manter-se

Jeová deseja lhe dar a "verdadeira vida". Você a ganhará?

atarefado nesse trabalho ajuda você a permanecer no amor de Deus. — **Leia 1 Coríntios 15:58.**

[17] É importante lembrar-se de que a pregação do Reino é urgente. A Bíblia diz: "Pregue a palavra; faça isso urgentemente." (2 Timóteo 4:2) Por que fazer isso é tão urgente hoje em dia? A Palavra de Deus diz: "O grande dia de Jeová está próximo! Está próximo e se aproxima com grande rapidez!" (Sofonias 1:14) De fato, aproxima-se rapidamente o dia em que Jeová acabará com o inteiro sistema mundial perverso. As pessoas precisam ser avisadas! Precisam saber que agora é o tempo de escolher Jeová como seu Soberano. O fim "não se atrasará"! — Habacuque 2:3.

[18] Jeová deseja que o adoremos publicamente junto com os cristãos verdadeiros. É por isso que a sua Palavra diz: "Pensemos uns nos outros para nos estimular ao amor e às boas obras, não deixando de nos reunir, como é costume de alguns, mas nos encorajando uns aos outros, e ainda mais ao passo que vocês veem chegar o dia." (Hebreus 10:24, 25) As reuniões cristãs com nossos irmãos na fé nos dão uma oportunidade excelente de louvar e adorar nosso amado Deus. Além disso, edificamos e encorajamos uns aos outros.

[19] Ao nos associarmos com outros adoradores de Jeová, fortalecemos os vínculos de amor e amizade na congregação. É importante sempre procurar ver o lado bom uns dos outros, assim como Jeová procura ver o nosso lado bom. Não espere perfeição de seus irmãos na fé. Lembre-se de que todos estão em diferentes estágios de progresso espiritual e que todos nós cometemos erros. **(Leia Colossenses 3:13.)** Procure edificar uma amizade sólida com aqueles que amam intensamente a Jeová, e verá como isso contribui

---

17. Por que o ministério cristão é urgente hoje em dia?
18. Por que devemos adorar a Jeová publicamente junto com os cristãos verdadeiros?
19. Como podemos fortalecer os vínculos de amor na congregação cristã?

para seu progresso espiritual. De fato, adorar a Jeová junto com seus irmãos espirituais com certeza o ajudará a permanecer no amor de Deus. Como Jeová recompensa aqueles que o adoram fielmente e, desse modo, permanecem no seu amor?

PROCURE ALCANÇAR A "VERDADEIRA VIDA"

[20] Jeová recompensa seus servos fiéis com a vida, mas que espécie de vida? Bem, você está realmente vivo agora? A maioria de nós diria que a resposta é óbvia. Afinal, nós respiramos, comemos e bebemos. Com certeza, estamos vivos. E nos nossos momentos mais felizes talvez até digamos: "*Isso* é que é vida!" No entanto, a Bíblia indica que, em certo sentido muito importante, nenhum ser humano está *realmente* vivo hoje em dia.

[21] A Palavra de Deus nos exorta a 'nos apegar firmemente à verdadeira vida'. (1 Timóteo 6:19) Essas palavras indicam que a "verdadeira vida" é algo que esperamos ganhar no futuro. De fato, quando formos perfeitos, estaremos vivos no sentido mais pleno da palavra, pois estaremos vivendo assim como Deus originalmente queria que vivêssemos. Quando vivermos numa Terra paradisíaca com saúde, paz e felicidade perfeitas, finalmente usufruiremos a "verdadeira vida" — a vida eterna. (1 Timóteo 6:12) Não é essa uma esperança maravilhosa?

[22] Como podemos 'nos apegar firmemente à verdadeira vida'? No mesmo contexto, Paulo exortou os cristãos a 'praticar o bem' e a 'ser ricos em boas obras'. (1 Timóteo 6:18) Portanto, é óbvio que muito depende de como colocamos em prática as verdades que aprendemos na Bíblia. Mas será que Paulo disse que *mereceremos* a "verdadeira vida" por realizarmos boas obras? Não, pois tais perspectivas ma-

---

20, 21. O que é a "verdadeira vida", e por que é uma esperança maravilhosa?
22. Como você pode 'apegar-se firmemente à verdadeira vida'?

ravilhosas realmente dependem de recebermos a "bondade imerecida" da parte de Deus. (Romanos 5:15) No entanto, Jeová tem prazer em recompensar aqueles que o servem fielmente. Ele deseja que você viva a "verdadeira vida". Essa feliz e pacífica vida eterna está em reserva para aqueles que permanecem no amor de Deus.

23 Cada um de nós fará bem em perguntar-se: 'Estou adorando a Deus do modo como ele especifica na Bíblia?' Se nos esforçarmos diariamente nesse sentido, estaremos no rumo certo. Podemos confiar que Jeová é nosso refúgio. Ele manterá seu povo fiel a salvo durante os atribulados dias finais deste velho sistema mundial. Jeová também nos introduzirá com segurança no glorioso novo sistema, que rapidamente se aproxima. Quanta emoção sentiremos naquele dia! E quanto nos alegraremos de que fizemos as escolhas certas nos atuais últimos dias! Se você fizer tais escolhas agora, ganhará a "verdadeira vida", a vida como Jeová sempre desejou que fosse — por toda a eternidade!

---

23. Por que é essencial permanecer no amor de Deus?

O QUE A BÍBLIA ENSINA

- Mostramos genuíno amor a Deus obedecendo aos seus mandamentos e aplicando seus princípios. — 1 João 5:3.
- Estudar a Palavra de Deus, orar a Jeová de coração, ensinar outros a respeito dele e adorá-lo nas reuniões cristãs nos ajudará a permanecer no seu amor. — Mateus 24:14; 28:19, 20; João 17:3; 1 Tessalonicenses 5:17; Hebreus 10:24, 25.
- Aqueles que permanecem no amor de Deus têm esperança de ganhar a "verdadeira vida". — 1 Timóteo 6:12, 19; Judas 21.

APÊNDICE

O nome divino — seu uso e significado

NA SUA Bíblia, como é traduzido o Salmo 83:18? A *Tradução do Novo Mundo da Bíblia Sagrada* traduz assim esse versículo: "Que as pessoas saibam que tu, cujo nome é Jeová, somente tu és o Altíssimo sobre toda a terra." Várias outras traduções bíblicas vertem esse versículo de modo similar. No entanto, muitas traduções deixam fora o nome Jeová, substituindo-o por títulos como "Senhor" ou "Eterno". O que deve ser usado nesse versículo? Um título ou o nome Jeová?

Esse versículo fala a respeito de um nome. No hebraico original, idioma em que grande parte da Bíblia foi escrita, aparece ali um nome pessoal ímpar. É escrito em letras hebraicas: יהוה (YHWH). Em português, a tradução comum desse nome é "Jeová". Será que esse nome aparece em apenas um versículo bíblico? Não. Ele aparece no texto original das Escrituras Hebraicas cerca de 7 mil vezes!

יהוה

O nome de Deus em letras hebraicas

Qual é a importância do nome de Deus? Considere a oração-modelo, ensinada por Jesus Cristo. Ela começa assim: "Pai nosso, que estás nos céus, santificado seja o teu nome." (Mateus 6:9) Mais tarde, Jesus orou a Deus: "Pai, glorifica o teu nome." Em resposta, Deus falou do céu: "Eu já o glorifiquei e o glorificarei de novo." (João 12:28) Obviamente, o nome de Deus é de máxima importância. Por que, então, alguns tradutores omitiram esse nome de suas traduções da Bíblia e o substituíram por títulos?

Parece haver duas razões principais. A primeira é que muitos dizem que o nome não deve ser usado porque sua pronúncia original é desconhecida hoje em dia. O hebraico antigo era escrito sem vogais. Assim, ninguém hoje pode dizer com certeza como as pessoas nos tempos bíblicos pronunciavam o nome YHWH. Mas será que isso deve nos impedir de usar o nome de Deus? Nos tempos bíblicos, o nome Jesus talvez fosse pronunciado Yeshua ou, possivelmente, Yehoshua — ninguém sabe ao certo. No entanto, pessoas no mundo inteiro usam diferentes formas do nome Jesus, pronunciando-o do modo costumeiro no seu idioma. Elas não deixam de usar o nome só porque não sabem como ele era pronunciado no primeiro século. De modo similar, se você viajar para outro país, é bem provável que descubra que seu próprio nome soa um tanto diferente em outro idioma. Portanto, não saber ao certo como o nome de Deus era pronunciado na antiguidade não é motivo para não usá-lo.

Uma segunda razão muitas vezes apresentada para omitir o nome de Deus na Bíblia envolve uma antiga tradição dos judeus. Muitos deles acreditam que o nome de Deus jamais deva ser pronunciado. Essa crença evidentemente se baseia numa aplicação equivocada da lei bíblica que diz: "Não use o nome de Jeová, seu Deus, em vão, pois Jeová não deixará impune aquele que usar Seu nome em vão." — Êxodo 20:7.

Essa lei proíbe o uso errado do nome de Deus. Mas será que proíbe o uso respeitoso de seu nome? De modo algum. Todos os escritores da Bíblia Hebraica (o "Velho Testamento") eram homens fiéis que obedeciam à Lei que Deus havia dado aos antigos israelitas. E eles usavam com frequência o nome de Deus. Por exemplo, eles o incluíram em muitos salmos que eram cantados por multidões de adoradores. Jeová até mesmo instruiu seus adoradores a invocar Seu nome, e os fiéis obedeciam. (Joel 2:32; Atos 2:21) Portanto, os cristãos hoje não deixam de usar respeitosamente o nome de Deus, como Jesus com certeza usou. — João 17:26.

Ao substituírem o nome de Deus por títulos, os tradutores da Bíblia cometem um erro grave. Eles fazem com que Deus pareça distante e impessoal, ao passo que a Bíblia exorta os humanos a cultivar "amizade íntima com Jeová". (Salmo 25:14) Pense num amigo seu bem achegado. Será que vocês seriam realmente bem achegados se você nem soubesse o nome dele? Da mesma forma, se as pessoas não sabem o nome de Deus, Jeová, como podem realmente se achegar a ele? Além disso, se não usam o nome de Deus, elas ficam também sem saber seu maravilhoso significado. O que significa o nome divino?

O próprio Deus explicou o significado de seu nome ao seu fiel servo Moisés. Quando este perguntou a respeito do nome de Deus, Jeová respondeu: "Eu Me Tornarei O Que Eu Decidir Me Tornar." (Êxodo 3:14) A tradução de Rotherham (em inglês) traduz assim essas palavras: "Eu Me Tornarei o que quer que seja do meu agrado." Assim, Jeová pode tornar-se o que for necessário para cumprir seus propósitos, e ele pode fazer com que aconteça o que for necessário com relação à sua criação e ao cumprimento do seu propósito.

Digamos que você pudesse se tornar o que desejasse. O que faria pelos seus amigos? Se um deles adoecesse gravemente, você poderia tornar-se um bom médico e curá-lo. Se outro sofresse um revés financeiro, poderia tornar-se um rico benfeitor e socorrê-lo. Mas a verdade é que você, como todos nós, é limitado no que pode se tornar. O estudo contínuo da Bíblia deixará você surpreso ao ver como Jeová se torna *o que for necessário* para cumprir suas promessas. E ele se agrada de usar seu poder em favor dos que o amam. (2 Crônicas 16:9) Os que não conhecem o nome de Jeová desconhecem essas belas facetas de sua personalidade.

É evidente que o nome Jeová faz parte da Bíblia. Conhecer seu significado e usá-lo amplamente na nossa adoração é uma ajuda poderosa para nos achegar ao nosso Pai celestial, Jeová.*

---

* Para mais informações sobre o nome de Deus, seu significado e razões para usá-lo na adoração, veja a brochura *O Nome Divino Que Durará Para Sempre,* publicada pelas Testemunhas de Jeová. Veja também *A Tradução do Novo Mundo,* edição de 2014, Apêndice A4.

Como a profecia de Daniel predisse a chegada do Messias

O PROFETA Daniel viveu mais de 500 anos antes do nascimento de Jesus. No entanto, Jeová revelou a ele informações que tornariam possível determinar com precisão o tempo em que Jesus seria ungido, ou designado, como Messias, ou Cristo. Foi dito a Daniel: "Você deve saber e entender o seguinte: depois de se emitir a ordem para restaurar e reconstruir Jerusalém, até a vinda do Messias, o Líder, haverá 7 semanas e também 62 semanas." — Daniel 9:25.

Para determinar quando o Messias chegaria, primeiro é preciso saber quando começaria o período que terminaria na sua chegada. De acordo com a profecia, esse período começaria "depois de se emitir a ordem para restaurar e reconstruir Jerusalém". Quando se emitiu essa ordem? Segundo o escritor bíblico Neemias, a ordem para reconstruir as muralhas de Jerusalém foi emitida "no vigésimo ano do rei Artaxerxes". (Neemias 2:1, 5-8)

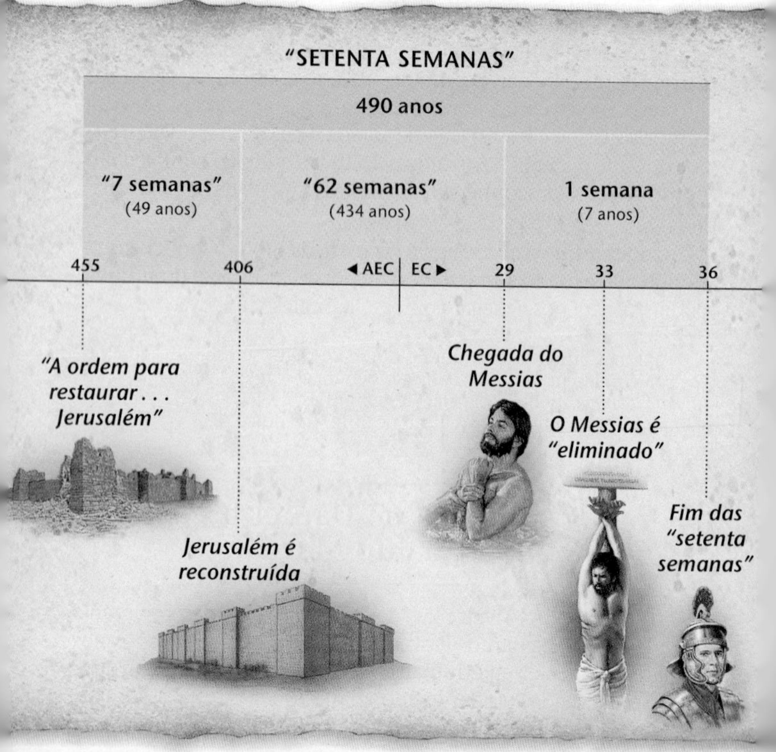

Os historiadores confirmam que 474 AEC foi o primeiro ano completo de Artaxerxes como governante. Por conseguinte, o 20.° ano de seu reinado foi 455 AEC. Assim, descobrimos quando começou o período mencionado na profecia messiânica de Daniel, isto é, em 455 AEC.

Daniel indica quanto tempo duraria o período que terminaria na chegada do "Messias, o Líder". A profecia menciona "7 semanas e também 62 semanas" — um total de 69 semanas. Qual é a duração desse período? Várias traduções da Bíblia mencionam que não se trata de semanas de sete dias, mas semanas de anos. Ou seja, cada semana representa sete anos. Esse conceito de semanas de anos era comum entre os judeus dos tempos antigos. Por exemplo, eles observavam um ano sabático a cada sete anos. (Êxodo 23:10, 11) Portanto, as proféticas 69 semanas equivalem a 69 unidades de 7 anos cada uma, ou a um total de 483 anos.

Agora basta fazer um cálculo. Se contarmos um período de 483 anos a partir de 455 AEC, chegaremos ao ano 29 EC. Foi exatamente nesse ano que Jesus foi batizado e se tornou o Messias!* (Lucas 3:1, 2, 21, 22) Não é isso um notável cumprimento de profecia bíblica?

---

* De 455 AEC a 1 AEC são 454 anos. De 1 AEC a 1 EC é um ano (não houve ano zero). E de 1 EC a 29 EC são 28 anos. A soma desses três números dá 483 anos. Jesus foi "eliminado", ou morto, em 33 EC, durante a 70.ª semana de anos. (Daniel 9:24, 26) Veja as publicações *Preste Atenção à Profecia de Daniel!*, capítulo 11, e *Estudo Perspicaz das Escrituras,* Volume 3, páginas 582-585, publicadas pelas Testemunhas de Jeová.

Jesus Cristo — o Messias prometido

PARA nos ajudar a identificar o Messias, Jeová inspirou muitos profetas bíblicos a dar detalhes a respeito do nascimento, do ministério e da morte desse prometido Libertador. Todas essas profecias bíblicas se cumpriram em Jesus Cristo. Elas são

PROFECIAS A RESPEITO DO MESSIAS

EVENTO	PROFECIA	CUMPRIMENTO
Nascido na tribo de Judá	Gênesis 49:10	Lucas 3:23-33
Nascido de uma virgem	Isaías 7:14	Mateus 1:18-25
Descendente do Rei Davi	Isaías 9:7	Mateus 1:1, 6-17
Jeová o declarou Seu Filho	Salmo 2:7	Mateus 3:17
Não creram nele	Isaías 53:1	João 12:37, 38
Entrada em Jerusalém montado num jumento	Zacarias 9:9	Mateus 21:1-9
Traído por um associado íntimo	Salmo 41:9	João 13:18, 21-30
Traído por 30 moedas de prata	Zacarias 11:12	Mateus 26:14-16
Calado diante dos acusadores	Isaías 53:7	Mateus 27:11-14
Lançadas sortes sobre sua roupa	Salmo 22:18	Mateus 27:35
Zombaram dele quando na estaca	Salmo 22:7, 8	Mateus 27:39-43
Nenhum osso seu foi quebrado	Salmo 34:20	João 19:33, 36
Sepultado com os ricos	Isaías 53:9	Mateus 27:57-60
Ressuscitado antes de sofrer decomposição	Salmo 16:10	Atos 2:24, 27
Exaltado à direita de Deus	Salmo 110:1	Atos 7:56

espantosamente exatas e detalhadas. Para exemplificar, vejamos algumas profecias sobre eventos ligados ao nascimento e à infância do Messias.

O profeta Isaías predisse que o Messias seria descendente do Rei Davi. (Isaías 9:7) Jesus realmente nasceu na linhagem de Davi. — Mateus 1:1, 6-17.

Miqueias, outro profeta de Deus, predisse que essa criança por fim se tornaria um governante e que nasceria em "Belém Efrata". (Miqueias 5:2) Nos dias do nascimento de Jesus havia em Israel duas cidades chamadas Belém. Uma se situava perto de Nazaré, na região norte do país, e a outra perto de Jerusalém, em Judá. A que ficava perto de Jerusalém se chamava anteriormente Efrata. Jesus nasceu nessa cidade, exatamente como a profecia predisse! — Mateus 2:1.

Outra profecia bíblica predisse que o Filho de Deus seria chamado "do Egito". Jesus, quando criança, foi levado ao Egito. Ele foi trazido de volta depois da morte de Herodes, cumprindo assim a profecia. — Oseias 11:1; Mateus 2:15.

No quadro da página 200, os textos alistados sob "Profecia" contêm detalhes a respeito do Messias. Compare-os com os textos alistados sob "Cumprimento". Isso reforçará sua fé na veracidade da Palavra de Deus.

Ao examinar esses textos, tenha em mente que os que são proféticos foram escritos centenas de anos antes do nascimento de Jesus. Ele declarou: "Todas as coisas escritas a meu respeito na Lei de Moisés, nos Profetas e nos Salmos têm de se cumprir." (Lucas 24:44) Como poderá verificar na sua própria Bíblia, elas realmente se cumpriram — em todos os detalhes!

A verdade a respeito do Pai, do Filho e do espírito santo

AS PESSOAS que acreditam no ensino da Trindade dizem que Deus consiste em três pessoas — o Pai, o Filho e o Espírito Santo. Alega-se que essas três pessoas são iguais, todo-poderosas e não tiveram princípio. Portanto, de acordo com a doutrina da Trindade, o Pai é Deus, o Filho é Deus e o Espírito Santo é Deus, mas, mesmo assim, há um só Deus.

Muitos que acreditam na Trindade admitem que não sabem explicar esse ensino. Ainda assim, talvez achem que se trata de um ensino bíblico. Vale notar que a palavra "Trindade" não aparece na Bíblia. Mas será que a Bíblia contém a ideia de uma Trindade? Para responder a essa pergunta, vejamos um texto que os defensores dessa doutrina citam com frequência.

"O VERBO ERA DEUS"

João 1:1 diz: "No princípio, era o Verbo, e o Verbo estava com Deus, e o Verbo era Deus." (Versão *Almeida*) Mais adiante no mesmo capítulo, o apóstolo João mostra claramente que "o Verbo [a Palavra]" é Jesus. (João 1:14) No entanto, visto que o Verbo é chamado de Deus, alguns concluem que o Filho e o Pai têm de ser parte do mesmo Deus.

Tenha em mente que essa parte da Bíblia foi escrita originalmente em grego. Mais tarde, tradutores verteram o texto grego para outros idiomas. Muitos tradutores da Bíblia, porém, não usaram a frase "o Verbo era Deus". Por que não? Com base no seu conhecimento do grego bíblico, esses tradutores concluíram que a frase "o Verbo era Deus" devia ser traduzida de modo diferente. Como? Veja alguns exemplos: "O Logos [ou o Verbo] era divino." (*A New Translation of the Bible*) "O Verbo era um deus." (*The New Testament in an Improved Version*) "O Verbo estava com Deus e era da mesma natureza que ele." (*The Translator's New Testament*) De acordo com essas traduções, o Verbo não é o próprio Deus.* Em vez disso, devido à sua elevada posição entre as criaturas de Jeová, o Verbo (ou a Palavra) é chamado de "um deus". O termo "deus" aqui significa "poderoso".

OBTENHA MAIS FATOS

A maioria das pessoas não conhece o grego bíblico. Como, então, você pode saber o que o apóstolo João realmente queria dizer? Pense neste exemplo: um professor explica um assunto aos seus alunos. No final, os alunos entendem a explicação de maneiras diferentes. Como podem resolver o assunto? Talvez pedindo mais informações ao professor. Sem

---

* Para mais informações sobre João 1:1, veja as páginas 24-25 de *A Sentinela* de 1.º de novembro de 2008, publicada pelas Testemunhas de Jeová.

dúvida, aprender fatos adicionais os ajudará a entender melhor o assunto. De modo similar, para entender o sentido de João 1:1, você pode encontrar no Evangelho de João mais informações sobre a posição de Jesus. Aprender fatos adicionais sobre esse assunto o ajudará a chegar à conclusão certa.

Por exemplo, veja o que João escreveu no capítulo 1, versículo 18: "Nenhum homem jamais viu a Deus [o Todo-Poderoso]." No entanto, humanos viram Jesus, o Filho, pois João diz: "O Verbo [Jesus] se fez carne e habitou entre nós, e vimos a sua glória." (João 1:14, *Al*) Como, então, o Filho poderia ser parte do Deus Todo-Poderoso? João disse também que o Verbo estava "*com* Deus". Mas como pode uma pessoa estar *com* alguém e, ao mesmo tempo, *ser* essa pessoa? Além do mais, conforme registrado em João 17:3, Jesus faz uma clara distinção entre ele e seu Pai celestial. Ele chama seu Pai de "único Deus verdadeiro". E, quase no fim de seu Evangelho, João resume o assunto dizendo: "Estes foram escritos para que vocês creiam que Jesus é o Cristo, o Filho de Deus." (João 20:31) Note que Jesus não é chamado de Deus, mas sim de Filho de Deus. Essas informações adicionais, fornecidas no Evangelho de João, mostram como João 1:1 deve ser entendido. Jesus, a Palavra, é "um deus" no sentido de que ele tem uma alta posição, mas não é o mesmo que o Deus Todo-Poderoso.

CONFIRME OS FATOS

Pense de novo no exemplo do professor e dos alunos. Digamos que alguns alunos ainda tenham dúvidas, mesmo depois da explicação adicional do professor. O que poderiam fazer? Poderiam recorrer a outro professor em busca de mais informações sobre o mesmo assunto. Se o segundo professor confirmasse a explicação do primeiro, as dúvidas da maioria dos alunos talvez fossem sanadas. Da mesma forma, se você não tiver certeza sobre o que o escritor bíblico João realmente queria dizer a respeito da relação entre Jesus e o Deus Todo-Poderoso, poderá recorrer a outro escritor bíblico em busca de mais informações. Veja o que foi escrito por Mateus, por exemplo. A respeito do fim do atual sistema mundial, ele citou as palavras de Jesus: "A respeito daquele dia e daquela hora ninguém sabe, nem os anjos dos céus, nem o Filho, mas somente o Pai." (Mateus 24:36) De que modo essas palavras confirmam que Jesus não é o Deus Todo-Poderoso?

Jesus disse que o Pai sabia mais do que o Filho. Se Jesus fosse parte do Deus Todo-Poderoso, no entanto, ele conheceria os mesmos fatos que o Pai. Portanto, o Filho e o Pai não podem ser iguais. Ainda assim, alguns dirão: 'Jesus tinha duas naturezas. Aqui ele falava como humano.' Mas, mesmo que isso fosse assim, que dizer do espírito santo? Se o espírito santo e o Pai são parte do mesmo Deus, por que Jesus não disse que o espírito santo sabia o que o Pai sabia?

Ao continuar seu estudo da Bíblia, você conhecerá muitos mais textos bíblicos que se aplicam a esse assunto. Eles confirmam a verdade a respeito do Pai, do Filho e do espírito santo. — Salmo 90:2; Atos 7:55; Colossenses 1:15.

Por que os cristãos verdadeiros não usam a cruz na adoração

A CRUZ é amada e respeitada por milhões de pessoas. A *The Encyclopædia Britannica* chama a cruz de "principal símbolo da religião cristã". Mas os cristãos verdadeiros não usam a cruz na adoração. Por que não?

Uma razão importante é que Jesus Cristo não morreu numa cruz. A palavra grega em geral traduzida "cruz" é *stau·rós*. Significa basicamente "poste ou estaca". A *The Companion Bible* (Bíblia Companheira) diz: "[*Stau·rós*] jamais significa *duas* peças de madeira transversais em qualquer ângulo . . . Não há nada no grego do [Novo Testamento] que sequer sugira duas peças de madeira."

Em vários textos, os escritores bíblicos usam outra palavra para referir-se ao instrumento usado para executar Jesus. É a palavra grega *xý·lon.* (Atos 5:30; 10:39; 13:29; Gálatas 3:13; 1 Pedro 2:24) Essa palavra significa simplesmente "madeiro", ou "pedaço de pau, porrete ou árvore".

Explicando por que uma simples estaca era usada para execuções, o livro *Das Kreuz und die Kreuzigung* (A Cruz e a Crucificação), de Hermann Fulda, diz: "Nem sempre havia árvores disponíveis nos locais escolhidos para execução pública. De modo que um simples poste era fincado no chão. Nele os criminosos eram amarrados ou pregados com as mãos para cima, muitas vezes também com os pés amarrados ou pregados."

A prova mais convincente, porém, vem da Palavra de Deus. O apóstolo Paulo diz: "Cristo nos comprou, livrando-nos da maldição da Lei por se tornar maldição em nosso lugar, pois está escrito: 'Maldito é todo aquele pendurado num madeiro ["numa árvore", *Versão Rei Jaime,* em inglês].' " (Gálatas 3:13) Aqui Paulo cita Deuteronômio 21:22, 23, que fala claramente de uma estaca, não de uma cruz. Visto que esses meios de execução faziam da pessoa uma 'maldição', não seria apropriado os cristãos terem em sua casa imagens de Cristo numa cruz.

Não há evidência de que aqueles que se diziam cristãos usassem a cruz na adoração nos primeiros 300 anos após a morte de Cristo. No quarto século, porém, o imperador pagão Constantino converteu-se ao cristianismo apóstata e promoveu a cruz como símbolo deste. Qualquer que tenha sido a motivação de Constantino, a cruz nada tinha a ver com Jesus Cristo. De fato, a cruz é de origem pagã. A *New Catholic Encyclopedia* admite: "A cruz está presente tanto na cultura pré-cristã como na cultura não cristã." Várias outras autoridades no assunto têm ligado a cruz à adoração da natureza e aos rituais do sexo praticados pelos pagãos.

Por que, então, foi adotado esse símbolo pagão? Pelo visto, para tornar mais fácil os pagãos aceitarem o "cristianismo". No entanto, a Bíblia condena claramente qualquer devoção a um símbolo pagão. (2 Coríntios 6:14-18) As Escrituras proíbem também toda e qualquer forma de idolatria.

(Êxodo 20:4, 5; 1 Coríntios 10:14) Com muito boa razão, portanto, os cristãos verdadeiros não usam a cruz na adoração.*

* Para um estudo mais completo sobre a cruz, veja as páginas 99-103 do livro *Raciocínios à Base das Escrituras,* publicado pelas Testemunhas de Jeová.

A Ceia do Senhor — uma celebração que honra a Deus

OS CRISTÃOS receberam a ordem de realizar a Celebração da morte de Cristo. Essa celebração é também chamada de "Ceia do Senhor". (1 Coríntios 11:20) Por que ela é tão significativa? Quando e como deve ser celebrada?

Jesus Cristo instituiu essa celebração na noite da Páscoa judaica de 33 EC. A Páscoa era comemorada apenas uma vez por ano, no 14.° dia do mês judaico de nisã. Para calcularem essa data, os judeus evidentemente esperavam pelo equinócio da primavera. Esse é o dia em que há cerca de 12 horas de claridade e 12 de escuridão. A primeira lua nova observável mais perto do equinócio da primavera marcava o primeiro dia de nisã. A Páscoa começava 13 dias depois.

Jesus celebrou a Páscoa com seus apóstolos, dispensou Judas Iscariotes e, em seguida, instituiu a Ceia do Senhor. Essa ceia substituiu a Páscoa judaica e, portanto, deve ser celebrada apenas uma vez por ano.

O Evangelho de Mateus relata: "Jesus pegou um pão e, depois de proferir uma bênção, partiu-o e deu aos discípulos, dizendo: 'Peguem, comam. Isto representa o meu corpo.' E, pegando um cálice, ele deu graças e o deu a eles, dizendo: 'Bebam dele, todos vocês, pois isto representa o meu "sangue do pacto", que será derramado em benefício de muitos, para o perdão de pecados.' " — Mateus 26:26-28.

Alguns acreditam que o pão se tenha tornado literalmente a carne de Jesus, e o vinho, o sangue. No entanto, o corpo físico de Jesus ainda estava intacto quando ele ofereceu esse pão. Será que os apóstolos comeram realmente a carne literal de Jesus e beberam seu sangue? Não, pois isso seria canibalismo e uma violação da lei de Deus. (Gênesis 9:3, 4; Levítico 17:10) De acordo com Lucas 22:20, Jesus disse: "Este cálice representa o novo pacto com base no meu sangue, que será derramado em seu benefício." Será que aquele copo se tornou literalmente "o novo pacto"? Isso seria impossível, visto que um pacto é um acordo, não algo tangível.

Assim, tanto o pão como o vinho são apenas símbolos. O pão simboliza o corpo perfeito de Jesus. Ele usou um pão que havia sobrado da ceia da Páscoa. Esse pão era feito sem fermento, ou levedura. (Êxodo 12:8) A Bíblia muitas vezes usa o fermento como símbolo de pecado ou corrupção. O pão, portanto, representa o corpo perfeito que Jesus sacrificou. Era sem pecado. — Mateus 16:11, 12; 1 Coríntios 5:6, 7; 1 Pedro 2:22; 1 João 2:1, 2.

O vinho tinto representa o sangue de Jesus. Esse sangue torna válido o novo pacto. Jesus disse que seu sangue foi derramado "para o perdão de pecados". Os humanos podem assim tornar-se puros aos olhos de Deus e ser admitidos no novo pacto com Jeová. (Hebreus 9:14; 10:16, 17) Esse pacto, ou contrato, abre a oportunidade para 144 mil cristãos fiéis irem para o céu. Ali servirão como reis e sacerdotes para a bênção de todos os humanos obedientes. — Gênesis 22:18; Jeremias 31:31-33; 1 Pedro 2:9; Apocalipse 5:9, 10; 14:1-3.

Quem deve comer ou beber desses símbolos usados na Celebração? Logicamente, apenas os que estão no novo pacto — isto é, aqueles que têm a esperança de ir para o céu — devem comer do pão e beber do vinho. O espírito santo de Deus os convence de que eles foram escolhidos para ser reis celestiais. (Romanos 8:16) Eles estão também no pacto do Reino junto com Jesus. — Lucas 22:29.

Que dizer daqueles que têm a esperança de viver para sempre no Paraíso na Terra? Eles obedecem à ordem de Jesus e assistem à Ceia do Senhor, mas comparecem como observadores respeitosos, não como participantes do pão e do vinho. Uma vez por ano, depois do pôr do sol de 14 de nisã, as Testemunhas de Jeová celebram a Ceia do Senhor. Embora apenas alguns milhares de pessoas no mundo inteiro professem ter a esperança celestial, essa celebração é preciosa para todos os cristãos. Trata-se de uma ocasião em que todos podem refletir a respeito do superlativo amor de Jeová Deus e de Jesus Cristo. — João 3:16.

"Alma" e "espírito" — o que esses termos realmente significam?

O QUE lhe vem à mente quando ouve os termos "alma" e "espírito"? Muitos acreditam que essas palavras significam algo invisível e imortal que existe dentro de nós. Eles pensam que, por ocasião da morte, essa parte invisível do ser humano deixa o corpo e continua a viver. Visto que essa crença é tão difundida, muitos ficam surpresos de saber que isso de forma alguma é o que a Bíblia ensina. O que, então, é a alma e o que é o espírito, segundo a Palavra de Deus?

"ALMA" CONFORME USADO NA BÍBLIA

Primeiro, considere a alma. Talvez se lembre de que a Bíblia originalmente foi escrita na maior parte em hebraico e em grego. Ao escreverem a respeito da alma, os escritores bíblicos usaram a palavra hebraica *né·fesh* ou a palavra grega *psy·khé*. Essas duas palavras ocorrem bem mais de 800 vezes nas Escrituras, e a *Tradução do Novo Mundo* as verte como "alma", quer no texto principal quer nas notas. Ao examinarmos como as palavras "alma" e "almas" são usadas na Bíblia, fica evidente que basicamente se referem a (1) pessoas, (2) animais ou (3) a vida de uma pessoa ou de um animal.

Vejamos alguns textos em que esses três diferentes sentidos ocorrem.

Pessoas. "Nos dias de Noé . . . poucas pessoas, isto é, ["oito almas", nota], foram levadas a salvo através da água." (1 Pedro 3:20) Aqui a palavra "almas" claramente se refere a pessoas — Noé e sua esposa, seus três filhos e suas esposas. Êxodo 16:16 menciona as instruções dadas aos israelitas a respeito do recolhimento do maná. Foi-lhes dito que o apanhassem "segundo o número de pessoas ["almas", nota]" que cada um tinha na sua tenda. Portanto, a quantidade de maná que se recolhia baseava-se no número de pessoas em cada família. Outros exemplos bíblicos da aplicação de "alma" ou "almas" a uma pessoa ou a pessoas encontram-se nas notas em Gênesis 46:18; Josué 11:11; Atos 27:37 e Romanos 13:1.

Animais. No relato bíblico da criação, lemos: "Então Deus disse: 'Que as águas fervilhem de criaturas ["almas", nota] viventes e voem criaturas voadoras por cima da terra, pela vastidão dos céus.' Então Deus disse: 'Que a terra produza criaturas ["almas", nota] viventes segundo as suas espécies: animais domésticos, animais rasteiros e animais selvagens da terra, segundo as suas espécies.' E assim se deu." (Gênesis 1:20, 24) Nesse texto, peixes, animais domésticos e selvagens são todos englobados na mesma palavra — "almas". As aves e outros animais são chamados de almas nas notas em Gênesis 9:10; Levítico 11:46 e Números 31:28.

Vida de uma pessoa. Às vezes, a palavra "alma" significa a vida de uma pessoa. Jeová disse a Moisés: "Todos os homens que procuravam matá-lo ["procuravam a sua alma", nota] estão mortos." (Êxodo 4:19) O que os inimigos de Moisés estavam tentando fazer? Eles procuravam tirar a vida de Moisés. Bem antes disso, quando Raquel estava dando à luz seu filho Benjamim, ela estava "nos últimos momentos de sua vida ["sua alma partia", nota]". (Gênesis 35:16-19) Naquela ocasião, Raquel perdeu a vida. Considere também as palavras de Jesus: "Eu sou o bom pastor; o bom pastor dá a sua vida ["alma", nota] pelas ovelhas." (João 10:11) Jesus deu a sua alma, ou vida, em favor da humanidade. Nesses textos bíblicos, ou nas notas, a palavra "alma" claramente se refere à vida de uma pessoa. Você encontrará mais exemplos desse sentido da palavra "alma" nas notas em 1 Reis 17:17-23; Mateus 10:39; João 15:13 e Atos 20:10.

Por meio de um estudo mais detalhado da Palavra de Deus, você verá que em nenhum lugar na Bíblia inteira os termos "imortal" ou "eterno" têm relação com a palavra "alma". Em vez disso, as Escrituras dizem que a alma é mortal, o que significa que ela morre. (Ezequiel 18:4, 20) De modo que, na Bíblia, a pessoa que morre é chamada simplesmente de "alma morta". — Levítico 21:11, nota.

O QUE É O "ESPÍRITO"?

Vejamos agora o uso bíblico do termo "espírito". Alguns pensam que "espírito" significa o mesmo que "alma". Mas não é assim. A Bíblia deixa claro que "espírito" e "alma" se referem a duas coisas diferentes. Em que sentido?

Os escritores bíblicos usaram a palavra hebraica *rú·ahh* ou a palavra grega *pneú·ma* ao escreverem a respeito do "espírito". As próprias Escrituras indicam o significado dessas palavras. Por exemplo, o Salmo 104:29 diz: "Se [tu, Jeová] lhes tiras o espírito [*rú·ahh*], morrem e voltam ao pó." E Tiago 2:26 diz que "o corpo sem espírito [*pneú·ma*] está morto". Nesses versículos, portanto, "espírito" se refere àquilo que dá vida a um corpo. Sem espírito, o corpo está morto. De modo que na Bíblia a palavra *rú·ahh* é traduzida não apenas por "espírito", mas também por "força" ou "força da vida". Por exemplo, Deus disse a respeito do Dilúvio nos dias de Noé: "Vou trazer sobre a terra um dilúvio de águas, para exterminar de debaixo dos céus toda criatura que tem o fôlego [*rú·ahh*] de vida." (Gênesis 6:17; 7:15, 22) Assim, "espírito" se refere a uma força invisível (a centelha de vida) que mantém a vida de todas as criaturas viventes.

Alma e espírito não são a mesma coisa. O corpo precisa do espírito assim como um rádio, para funcionar, precisa da eletricidade. Pense num rádio a pilha, por exemplo. Ao colocarmos pilhas nele e ligá-lo, a eletricidade armazenada nas pilhas dá vida ao rádio, por assim dizer. Sem as pilhas o rádio não funciona. O mesmo se dá com um rádio elétrico, quando desligado da tomada. De modo similar, o espírito é a força que dá vida ao nosso corpo. E, assim como a eletricidade, o espírito não tem a capacidade de sentir ou de pensar. É uma força impessoal. Mas sem esse espírito, ou força de vida, o nosso corpo 'morre e volta ao pó', como disse o salmista.

Falando a respeito da morte do homem, Eclesiastes 12:7 diz: "O pó [de seu corpo] volta à terra, de onde veio, e o espírito volta ao verdadeiro Deus, que o deu." Quando o espírito, ou força de vida, deixa o corpo, o corpo morre e volta para sua origem — o solo. De modo comparável, a força de vida volta para sua origem — Deus. (Jó 34:14, 15; Salmo 36:9) Isso não significa que a força de vida literalmente cruza o espaço em direção ao céu. Na verdade significa que, para quem morre, qualquer esperança de vida futura depende de Jeová. A sua vida está nas mãos de Deus, por assim dizer. Somente pelo seu poder é possível que o espírito, ou força de vida, seja devolvido à pessoa, de modo que ela viva de novo.

Como é consolador saber que é exatamente isso que Deus fará em favor de todos os que descansam nos "túmulos memoriais"! (João 5:28, 29) No dia da ressurreição, Jeová fará um novo corpo para a pessoa que dorme na morte e lhe dará vida colocando nele espírito, ou força de vida. Que dia feliz será esse!

Se desejar mais informações sobre os termos "alma" e "espírito", conforme usados na Bíblia, veja a brochura *Que Acontece Conosco Quando Morremos?* e as páginas 32-36 e 142-146 do livro *Raciocínios à Base das Escrituras,* ambos publicados pelas Testemunhas de Jeová.

O que é o Seol ou Hades?

NAS línguas originais, a Bíblia usa a palavra hebraica *she'óhl* e sua equivalente grega *haí·des* mais de 70 vezes. As duas se relacionam com a morte. Algumas traduções da Bíblia vertem-nas por "sepultura", "inferno" ou "cova". No entanto, na maioria das línguas não existem palavras que transmitam o sentido exato desses termos hebraico e grego. De modo que a *Tradução do Novo Mundo* usa as palavras "Seol" e "Hades" nas notas. O que essas palavras realmente significam? Vejamos como são usadas em diferentes textos bíblicos.

Eclesiastes 9:10 diz: "Não há trabalho, nem planejamento, nem conhecimento, nem sabedoria na Sepultura ["no Seol", nota], o lugar para onde você vai." Será que isso significa que o Seol se refere a um túmulo específico, ou individual, no qual talvez tenhamos sepultado uma pessoa amada? Não. Quando a Bíblia se refere a um lugar específico de sepultamento, ou túmulo, ela usa outras palavras hebraicas e gregas, não *she'óhl* e *haí·des*. (Gênesis 23:7-9; Mateus 28:1) Também, a Bíblia não usa a palavra "Seol" para se referir a um túmulo em que várias pessoas são sepultadas juntas, como no caso de um túmulo de família ou uma sepultura coletiva. — Gênesis 49:30, 31.

Então, a que tipo de lugar "Seol" se refere? A Palavra de Deus indica que "Seol" ou "Hades" se refere a algo muito mais abrangente do que até mesmo uma grande sepultura coletiva. Por exemplo, Isaías 5:14 diz que a Sepultura, ou o Seol, "ampliou a si mesma e escancarou a boca além dos limites". Embora o Seol já tenha engolido, por assim dizer, um incontável número de mortos, parece que sempre anseia mais. (Provérbios 30:15, 16) Diferentemente de qualquer túmulo literal, que pode receber apenas um número limitado de mortos, 'a Sepultura nunca se sacia'. (Provérbios 27:20) Isto é, o Seol nunca fica cheio. Não tem limites. Portanto, Seol ou Hades não é um lugar literal num local específico. Em vez disso, é a sepultura comum da humanidade, o lugar figurativo onde se encontra a maioria dos humanos falecidos.

O ensino bíblico da ressurreição nos ajuda a compreender melhor o sentido de "Seol" e "Hades". A Palavra de Deus associa o Seol e o Hades com o tipo de morte da qual haverá uma ressurreição.* (Jó 14:13; Atos 2:31; Apocalipse 20:13) A Palavra de Deus mostra também que aqueles que estão no Seol, ou Hades, incluem não só os que serviram a Jeová, mas também muitos que não o serviram. (Gênesis 37:35; Salmo 55:15) Portanto, a Bíblia ensina que haverá "uma ressurreição tanto de justos como de injustos". — Atos 24:15.

---

* Em contraste com isso, os mortos que não serão ressuscitados são mencionados como estando na "Geena", não no Seol, ou Hades. (Mateus 5:30; 10:28; 23:33) Assim como o Seol e o Hades, a Geena também não é um lugar literal.

Dia do Julgamento — o que é?

QUE ideia você tem do Dia do Julgamento, ou Dia do Juízo? Muitos imaginam que, uma por uma, bilhões de almas serão levadas perante o trono de Deus. Ali, cada pessoa será julgada. Algumas serão recompensadas com a bem-aventurança celestial, outras condenadas ao tormento eterno. No entanto, a Bíblia pinta um quadro muito diferente desse período. Ela não o retrata como um período terrível, mas como um tempo de esperança e restauração.

Em Apocalipse 20:11, 12, lemos a descrição do Dia do Julgamento feita pelo apóstolo João: "Vi . . . um grande trono branco e Aquele que estava sentado nele. De diante dele fugiam a terra e o céu, e não se achou lugar para eles. Vi os mortos, os grandes e os pequenos, em pé diante do trono, e rolos foram abertos. Mas outro rolo foi aberto: era o rolo da vida. Os mortos foram julgados pelas coisas escritas nos rolos, segundo as suas ações." Quem é o Juiz descrito nesse texto?

Jeová é o Juiz supremo da humanidade. No entanto, ele dá a outra pessoa a tarefa de julgar propriamente dita. De acordo com Atos 17:31, o apóstolo Paulo disse que Deus "determinou um dia em que vai julgar a terra habitada com justiça, por meio de um homem a quem designou". Esse Juiz designado é o ressuscitado Jesus Cristo. (João 5:22) Mas quando começará o Dia do Julgamento? Quanto tempo durará?

O livro de Apocalipse mostra que o Dia do Julgamento começará depois da guerra do Armagedom, quando o sistema de Satanás na Terra será destruído.* (Apocalipse 16:14, 16; 19:19–20:3) Depois do Armagedom, Satanás e seus demônios serão aprisionados num abismo por mil anos. Durante esse período, os 144 mil co-herdeiros celestiais serão juízes e 'reinarão com Cristo por mil anos'. (Apocalipse 14:1-3; 20:1-4; Romanos 8:17) O Dia do Julgamento não será um rápido evento de apenas 24 horas de duração. Durará mil anos.

Durante esse período de mil anos, Jesus Cristo "julgará os vivos e os mortos". (2 Timóteo 4:1) "Os vivos" serão os da "grande multidão", que sobreviverá ao Armagedom. (Apocalipse 7:9-17) O apóstolo João viu também "os mortos . . . em pé diante do trono" de julgamento. Como Jesus prometeu, "os que estão nos túmulos memoriais ouvirão a voz dele e sairão" por meio da ressurreição. (João 5:28, 29; Atos 24:15) Mas em que base serão julgados?

De acordo com a visão do apóstolo João, "rolos foram abertos" e "os mortos foram julgados pelas coisas escritas nos rolos, segundo as suas ações". (Apocalipse 20:12) Será que esses rolos são o registro das ações passadas das pessoas? Não, o julgamento não será à base do que as pessoas fizeram antes de morrer. Como sabemos disso? A Bíblia diz: "Quem morreu foi absolvido do seu pecado." (Romanos 6:7) De modo que os ressuscitados voltarão à vida com uma ficha limpa, por assim dizer. Portanto, os rolos só podem representar futuros requisitos de Deus. Para viver para sempre, tanto os sobreviventes do Armagedom como os ressuscitados terão de obedecer aos mandamentos de Deus, incluindo quaisquer requisitos novos

---

* A respeito do Armagedom, veja *Estudo Perspicaz das Escrituras,* páginas 711-712 do Volume 1 e 286-287 do Volume 2, e o capítulo 20 de *Adore o Único Deus Verdadeiro,* publicados pelas Testemunhas de Jeová.

que Jeová venha a revelar durante os mil anos. Assim, as pessoas serão julgadas à base do que fizerem *durante* o Dia do Julgamento.

O Dia do Julgamento dará a bilhões de pessoas sua primeira oportunidade de aprender a respeito da vontade de Deus e se ajustar a ela. Isso significa que ocorrerá uma obra educativa em grande escala. De fato, 'os seus habitantes aprenderão a justiça'. (Isaías 26:9) No entanto, nem todos estarão dispostos a se ajustar à vontade de Deus. Isaías 26:10 diz: "Mesmo que se mostre favor a quem é mau, ele não aprenderá a justiça. Mesmo na terra da retidão ele fará o que é mau, e não verá a glória de Jeová." Essas pessoas más serão mortas de maneira definitiva durante o Dia do Julgamento. — Isaías 65:20.

No fim do Dia do Julgamento, os humanos sobreviventes terão 'voltado a viver' plenamente como humanos perfeitos. (Apocalipse 20:5) Assim, no Dia do Julgamento a humanidade será restaurada ao seu estado original perfeito. (1 Coríntios 15:24-28) Daí haverá uma prova final. Satanás será solto do encarceramento e terá uma última oportunidade de enganar a humanidade. (Apocalipse 20:3, 7-10) Os que resistirem a ele desfrutarão o cumprimento pleno da promessa da Bíblia: "Os justos possuirão a terra e viverão nela para sempre." (Salmo 37:29) Realmente, o Dia do Julgamento será uma bênção para todos os humanos obedientes!

1914 — um ano significativo na profecia bíblica

COM décadas de antecedência, os estudantes da Bíblia anunciavam que em 1914 ocorreriam eventos significativos. Que acontecimentos seriam esses, e que evidências apontam para 1914 como ano tão importante?

Conforme registrado em Lucas 21:24, Jesus disse: "Jerusalém será pisada pelas nações até se cumprirem os tempos determinados das nações [“os tempos dos gentios”, *Almeida*].” Jerusalém havia sido a capital da nação judaica — a sede do governo da dinastia de reis da casa do Rei Davi. (Salmo 48:1, 2) No entanto, esses reis eram totalmente diferentes de outros líderes nacionais. Eles ocupavam o “trono de Jeová” como representantes do próprio Deus. (1 Crônicas 29:23) De modo que Jerusalém era símbolo do governo de Jeová.

Como e quando, então, o governo de Deus começou a ser ‘pisado pelas nações’? Isso aconteceu em 607 AEC, quando Jerusalém foi conquistada pelos babilônios. O “trono de Jeová” ficou vago, e a dinastia de reis descendentes de Davi foi interrompida. (2 Reis 25:1-26) Será que esse ‘pisar’ seria eterno? Não, pois a profecia de Ezequiel disse o seguinte a respeito do último rei de Jerusalém, Zedequias: “Remova o turbante e retire a coroa. . . . Ela não será de ninguém até que chegue aquele que tem o direito legal; eu a darei a ele.” (Ezequiel 21:26, 27) “Aquele que

“SETE TEMPOS”

2.520 anos

606 1/4 anos
outubro de 607 AEC a
31 de dezembro de 1 AEC

1.913 3/4 anos
1.° de janeiro de 1 EC a
outubro de 1914

607 ◀ AEC | EC ▶ 1914

“Jerusalém será pisada pelas nações”

A chegada ‘daquele que tem o direito legal’

tem o direito legal" à coroa davídica é Cristo Jesus. (Lucas 1:32, 33) Assim, o 'pisar' terminaria quando Jesus se tornasse Rei.

Quando se daria esse grandioso evento? Jesus mostrou que os gentios governariam por um período específico. No relato em Daniel, capítulo 4, temos a chave para calcular a duração desse período. É um relato a respeito de um sonho profético do Rei Nabucodonosor, de Babilônia. O rei viu uma árvore muito alta que foi derrubada. Seu toco não podia crescer porque foi cintado com bandas de ferro e cobre. Um anjo declarou: "Passem sobre ele *sete tempos.*" — Daniel 4:10-16.

Na Bíblia, árvores são às vezes usadas como símbolos de governo. (Ezequiel 17:22-24; 31:2-5) Assim, o corte da árvore simbólica indica que o governo de Deus, conforme representado pelos reis em Jerusalém, seria interrompido. No entanto, a visão revelou que 'Jerusalém seria pisada' temporariamente — por um período de "sete tempos". Quanto tempo duraria esse período?

Apocalipse 12:6, 14 indica que três tempos e meio equivalem a "1.260 dias". "Sete tempos", portanto, durariam o dobro, ou seja, 2.520 dias. Mas as nações gentias não deixaram de 'pisar' no governo de Deus meros 2.520 *dias* após a queda de Jerusalém. É evidente, pois, que essa profecia abrange um período muito maior. À base de Números 14:34 e Ezequiel 4:6, que falam de "para cada dia um ano", os "sete tempos" abrangeriam 2.520 *anos.*

Os 2.520 anos começaram em outubro de 607 AEC, quando Jerusalém caiu diante dos babilônios e o rei da dinastia de Davi foi destronado. O período terminou em outubro de 1914. Naquele tempo, terminaram "os tempos determinados das nações" e Jesus Cristo foi empossado como Rei celestial de Deus.* — Salmo 2:1-6; Daniel 7:13, 14.

---

* De outubro de 607 AEC a outubro de 1 AEC são 606 anos. Visto que não há ano zero, de outubro de 1 AEC a outubro de 1914 EC são 1.914 anos. Somando 606 anos a 1.914 anos chega-se ao total de 2.520 anos. Para informações sobre a queda de Jerusalém em 607 AEC, veja o verbete "Cronologia" em *Estudo Perspicaz das Escrituras,* publicado pelas Testemunhas de Jeová.

Como Jesus predisse, sua "presença" como Rei celestial tem sido marcada por dramáticos eventos mundiais — guerras, fome, terremotos e epidemias. (Mateus 24:3-8; Lucas 21:11) Esses acontecimentos confirmam sem sombra de dúvida que 1914 marcou o início do Reino celestial de Deus e o começo dos "últimos dias" do atual sistema mundial perverso. — 2 Timóteo 3:1-5.

Quem é o arcanjo Miguel?

A CRIATURA espiritual chamada Miguel é mencionada poucas vezes na Bíblia. Mas, quando é mencionada, está sempre em ação. No livro de Daniel, Miguel guerreia contra anjos maus; na carta de Judas, ele tem uma disputa com Satanás; e em Apocalipse, guerreia contra o Diabo e seus demônios. Por defender o governo de Jeová e lutar contra os inimigos de Deus, Miguel faz jus ao significado de seu nome: "Quem É Semelhante a Deus?" Mas quem é Miguel?

Há casos em que as pessoas são conhecidas por mais de um nome. Por exemplo, o patriarca Jacó é conhecido também como Israel, e o apóstolo Pedro, como Simão. (Gênesis 49:1, 2; Mateus 10:2) Da mesma forma, a Bíblia indica que Miguel é outro nome de Jesus Cristo, antes e depois de sua vida na Terra. Vejamos algumas razões bíblicas para chegarmos a essa conclusão.

Arcanjo. A Palavra de Deus fala de Miguel, "o arcanjo". (Judas 9) Esse termo significa "anjo principal". Note que Miguel é chamado de *o* arcanjo. Isso sugere que existe apenas um anjo assim. De fato, a palavra "arcanjo" ocorre na Bíblia apenas no singular, nunca no plural. Além do mais, o cargo de arcanjo se relaciona com Jesus. Sobre o ressuscitado Senhor Jesus Cristo, 1 Tessalonicenses 4:16 diz: "O próprio Senhor descerá do céu com uma chamada de comando, com voz de arcanjo." A voz de Jesus é descrita aqui como de arcanjo.

Portanto, esse texto indica que o próprio Jesus é o arcanjo Miguel.

Líder militar. A Bíblia diz que "Miguel e os *seus* anjos batalharam contra o dragão . . . e os seus anjos". (Apocalipse 12:7) De modo que Miguel é o Líder de um exército de anjos fiéis. Apocalipse também se refere a Jesus como Líder de um exército de anjos fiéis. (Apocalipse 19:14-16) E o apóstolo Paulo menciona especificamente o "Senhor Jesus" e "seus anjos poderosos". (2 Tessalonicenses 1:7) Portanto, a Bíblia fala tanto de Miguel e "seus anjos" como de Jesus e "seus anjos". (Mateus 13:41; 16:27; 24:31; 1 Pedro 3:22) Visto que a Palavra de Deus em nenhuma parte indica que existem dois exércitos de anjos fiéis no céu — um comandado por Miguel e outro por Jesus —, é lógico concluir que Miguel não é outro senão o próprio Jesus Cristo no seu papel celestial.*

* Mais informações que indicam que o nome Miguel se aplica ao Filho de Deus acham-se no Volume 2, páginas 828-829, de *Estudo Perspicaz das Escrituras,* publicado pelas Testemunhas de Jeová.

O que é "Babilônia, a Grande"

O LIVRO de Apocalipse contém expressões que não devem ser entendidas literalmente. (Apocalipse 1:1) Por exemplo, menciona uma mulher que tem o nome "Babilônia, a Grande", escrito na testa. Informa-se que essa mulher está sentada sobre 'multidões e nações'. (Apocalipse 17:1, 5, 15) Visto que nenhuma mulher literal seria capaz disso, Babilônia, a Grande, só pode ser simbólica. Então, o que essa prostituta simbólica representa?

Em Apocalipse 17:18, essa mesma mulher simbólica é descrita como "a grande cidade que tem um reino sobre os reis da terra". O termo "cidade" indica um grupo organizado de pessoas. Visto que essa "grande cidade" controla "os reis da terra", a mulher chamada Babilônia, a Grande, só pode ser uma organização influente de alcance internacional. Pode-se corretamente chamá-la de império mundial. Que tipo de império? Um império religioso. Veja como alguns textos relacionados, no livro de Apocalipse, nos levam a essa conclusão.

Um império pode ser político, comercial ou religioso. A mulher chamada Babilônia, a Grande, não é um império político, porque a Palavra de Deus diz que "os reis da terra", ou os elementos políticos do mundo, 'cometem imoralidade sexual' com ela. Ela comete imoralidade sexual por formar alianças com os governantes da Terra, e faz qualquer coisa para ganhar poder e influência sobre eles. É por isso que ela é chamada de "grande prostituta". — Apocalipse 17:1, 2; Tiago 4:4.

Babilônia, a Grande, não pode ser um império comercial porque "os comerciantes da terra", que representam os elementos comerciais, prantearão quando ela for destruída. De fato, menciona-se que tanto os reis como os comerciantes observam Babilônia, a Grande, "à distância". (Apocalipse 18:3, 9, 10, 15-17) Portanto, é razoável concluir que Babilônia, a Grande, não é um império político nem comercial, mas sim religioso.

A identidade religiosa de Babilônia, a Grande, é confirmada também pela declaração de que ela engana as nações por meio de suas "práticas de ocultismo". (Apocalipse 18:23) Visto que todas as formas de ocultismo são religiosas e têm origem demoníaca, não é de admirar que a Bíblia chame Babilônia, a Grande, de "morada de demônios". (Apocalipse 18:2; Deuteronômio 18:10-12) Menciona-se também que esse império se opõe ativamente à religião verdadeira, perseguindo os "profetas" e os "santos". (Apocalipse 18:24) De fato, o ódio de Babilônia, a Grande, contra a religião verdadeira é tão grande que ela persegue com violência e até mata as "testemunhas de Jesus". (Apocalipse 17:6) Assim sendo, essa mulher chamada Babilônia, a Grande, simboliza claramente o império mundial de religião falsa, que inclui todas as religiões que se opõem a Jeová.

Jesus nasceu em dezembro?

A BÍBLIA não diz quando Jesus nasceu. Mas ela nos dá fortes motivos para concluir que seu nascimento não ocorreu em dezembro.

Considere as condições climáticas nessa época do ano em Belém, onde Jesus nasceu. O mês judaico de quisleu (que corresponde a novembro/dezembro) era um mês frio e chuvoso. O mês seguinte era tebete (dezembro/janeiro). Era o mês em que ocorriam as temperaturas mais baixas do ano, com nevadas ocasionais nos planaltos. Vejamos o que a Bíblia diz sobre o clima naquela região.

O escritor bíblico Esdras mostra que quisleu era de fato um mês frio e chuvoso. Depois de dizer que uma multidão havia se reunido em Jerusalém "no dia 20 do nono mês [quisleu]", Esdras informa que o povo estava 'tremendo por causa da forte chuva'. Sobre as condições do tempo naquela época do ano, as próprias pessoas reunidas disseram: "Estamos na estação das chuvas. Não é possível ficar do lado de fora."

Quando Jesus nasceu, pastores e seus rebanhos estavam nos campos à noite

(Esdras 10:9, 13; Jeremias 36:22) Não é de admirar que os pastores que viviam naquela parte do mundo não ficassem ao ar livre à noite com seus rebanhos em dezembro.

No entanto, a Bíblia diz que os pastores estavam nos campos cuidando das ovelhas na noite em que Jesus nasceu. De fato, o escritor bíblico Lucas mostra que, naquela ocasião, havia pastores "vivendo ao ar livre e vigiando seus rebanhos à noite" perto de Belém. (Lucas 2:8-12) Note que os pastores estavam *vivendo* ao ar livre, não apenas saindo para os campos durante o dia. Eles mantinham seus rebanhos nos campos *à noite.* Será que essa referência de vida ao ar livre se harmoniza com o tempo frio e chuvoso do mês de dezembro em Belém? Não. Portanto, as circunstâncias que cercaram o nascimento de Jesus indicam que ele não nasceu em dezembro.*

A Palavra de Deus nos informa com precisão a data em que Jesus morreu, mas dá poucos indícios sobre quando ele nasceu. Isso nos lembra as palavras do Rei Salomão: "Um bom nome é melhor do que um bom óleo, e o dia da morte é melhor do que o dia do nascimento." (Eclesiastes 7:1) Portanto, não é de admirar que a Bíblia forneça muitos detalhes a respeito do ministério e da morte de Jesus, mas poucos a respeito da época de seu nascimento.

---

* Para mais informações, veja as páginas 167-171 de *Raciocínios à Base das Escrituras,* publicado pelas Testemunhas de Jeová.

Devemos comemorar feriados ou dias santificados?

OS FERIADOS ou dias santificados que se comemoram atualmente em muitas partes do mundo não se originam da Bíblia. Qual é, então, a origem dessas comemorações? Se você tiver acesso a uma biblioteca, achará interessante ver o que as obras de referência dizem a respeito de feriados ou dias santificados que são comuns onde você vive. Veja alguns exemplos.

Páscoa. "Não há indício da celebração da festividade da Páscoa [conforme é comemorada hoje na cristandade] no Novo Testamento", diz *The Encyclopædia Britannica.* Como começou a festa da Páscoa? Ela tem raízes na adoração pagã. Embora seja realizada supostamente para comemorar a ressurreição de Jesus, os costumes ligados ao período da Páscoa não são cristãos. Por exemplo, a respeito do popular "coelhinho da Páscoa", *The Catholic Encyclopedia* diz: "O coelho é símbolo pagão e sempre tem sido emblema da fertilidade."

Comemorações de Ano-Novo. A data e os costumes ligados às comemorações de Ano-Novo variam segundo o país. A respeito da origem dessa celebração, a enciclopédia *World Book* diz: "O governante romano Júlio César fixou 1.° de janeiro como Dia do Ano-Novo, em 46 a.C. Os romanos dedicavam esse dia a Jano, o deus dos portões, das portas e dos começos. O mês de janeiro deriva seu nome de Jano, que tinha duas faces — uma voltada para frente e outra para trás." Portanto, as celebrações de Ano-Novo baseiam-se em tradições pagãs.

Halloween (Dia das Bruxas). A *The Encyclopedia Americana* diz: "Os aspectos dos costumes ligados ao Dia das Bruxas remontam a uma cerimônia druida [antigo sacerdócio celta] dos tempos pré-cristãos. Os celtas realizavam festividades em homenagem a dois deuses principais — um deus-sol e um deus dos mortos . . . , cuja festividade era realizada em 1.° de novembro, o início do Ano-Novo celta. A festividade em homenagem aos mortos foi aos poucos incorporada ao ritual cristão."

Outros feriados ou dias santificados. Não é possível considerar aqui todas as celebrações que se realizam em todo o mundo. No entanto, feriados que enaltecem pessoas ou organizações humanas não são aceitáveis para Jeová. (Jeremias 17:5-7; Atos 10:25, 26) Tenha em mente, também, que o que determina se as celebrações religiosas agradam, ou não, a Deus é a sua origem. (Isaías 52:11; Apocalipse 18:4) Os princípios bíblicos mencionados no Capítulo 16 deste livro ajudarão você a ver como Deus encara a participação em feriados não religiosos.

Para mais informações, acesse **www.jw.org**
ou contate as Testemunhas de Jeová.

ÁFRICA DO SUL: Private Bag X2067, Krugersdorp, 1740. **ALBÂNIA:** PO Box 118, Tiranë. **AMÉRICA CENTRAL:** Apartado Postal 895, 06002 México, D.F., México. **ANGOLA:** Caixa Postal 6877, Luanda. **ARGENTINA:** Casilla 83 (Suc 27B), C1427WAB Cdad. Aut. de Buenos Aires. **ARMÊNIA:** PO Box 75, 0010 Yerevan. **AUSTRALÁSIA:** PO Box 280, Ingleburn, NSW 1890, Austrália. **BARBADOS, Í.O.:** Crusher Site Road, Prospect, BB 24012 St. James. **BELARUS:** PO Box 9, 220030 Minsk. **BÉLGICA:** rue d'Argile-Potaardestraat 60, B-1950 Kraainem. **BENIN:** BP 312, AB-Calavi. **BOLÍVIA:** Casilla 6397, Santa Cruz. **BRASIL:** Rodovia SP-141, km 43, Cesário Lange, SP, 18285-901. **BULGÁRIA:** PO Box 424, 1618 Sofia. **BURUNDI:** BP 2150, Bujumbura. **CAMARÕES:** BP 889, Douala. **CANADÁ:** PO Box 4100, Georgetown, ON L7G 4Y4. **CAZAQUISTÃO:** PO Box 198, Almaty, 050000. **CENTRO-AFRICANA, REPÚBLICA:** BP 662, Bangui. **CHILE:** Casilla 267, Puente Alto. **COLÔMBIA:** Apartado 85058, Bogotá. **CONGO, REPÚBLICA DEMOCRÁTICA DO:** BP 634, Limete, Kinshasa. **COREIA, REPÚBLICA DA:** PO Box 33, Pyeongtaek PO, Gyeonggi-do, 17895. **COSTA DO MARFIM:** 06 BP 393, Abidjan 06. **CROÁCIA:** PP 58, HR-10090 Zagreb-Susedgrad. **DOMINICANA, REPÚBLICA:** Apartado 1742, Santo Domingo. **EQUADOR:** Casilla 09-01-1334, Guayaquil. **ESCANDINÁVIA:** PO Box 340, DK-4300 Holbæk, Denmark. **ESLOVÁQUIA:** PO Box 2, 830 04 Bratislava 34. **ESLOVÊNIA:** pp 22, SI-1241 Kamnik. **ESPANHA:** Apartado 132, 28850 Torrejón de Ardoz (Madrid). **ESTADOS UNIDOS DA AMÉRICA:** 25 Columbia Heights, Brooklyn, NY 11201-2483. **ETIÓPIA:** PO Box 5522, Addis Ababa. **EUROPA CENTRAL:** 65617 Selters, Germany. **FIJI:** PO Box 23, Suva. **FILIPINAS:** PO Box 2044, 1060 Manila. **FINLÂNDIA:** PO Box 68, FI-01301 Vantaa. **FRANÇA:** BP 625, F-27406 Louviers Cedex. **GANA:** PO Box GP 760, Accra. **GEÓRGIA:** Postbox 237, Tbilisi, 0102. **GRÃ-BRETANHA:** The Ridgeway, London NW7 1RN. **GRÉCIA:** Kifisias 77, GR 151 24 Marousi. **HAITI:** PO Box 185, Port-au-Prince. **HOLANDA:** Noordbargerstraat 77, 7812 AA Emmen. **HONG KONG:** 22/F, 1 Hung To Road, Kwun Tong. **HUNGRIA:** Budapest, Pf 20, H-1631. **ÍNDIA:** PO Box 6441, Yelahanka, Bangalore-KAR 560 064. **INDONÉSIA:** PO Box 11, Jkb 11000. **ISRAEL:** PO Box 29 345, 61 292 02 Tel Aviv. **ITÁLIA:** Via della Bufalotta 1281, I-00138 Rome RM. **JAPÃO:** 4-7-1 Nakashinden, Ebina City, Kanagawa-Pref, 243-0496. **LIBÉRIA:** PO Box 10-0380, 1000 Monrovia 10. **MACEDÔNIA:** Pf 800, 1000 Skopje. **MADAGASCAR:** BP 116, 105 Ivato. **MALÁSIA:** Peti Surat No. 580, 75760 Melaka. **MALAUI:** PO Box 30749, Lilongwe 3. **MALTA:** IBSA House, Triq il-Waqqafa, Mosta MST 4486. **MIANMAR:** PO Box 62, Yangon. **MICRONÉSIA:** 143 Jehovah St, Barrigada, GU 96913. **MOÇAMBIQUE:** PO Box 2600, 1100 Maputo. **MOLDÁVIA:** PO Box 472, MD-2005 Chişinău. **NEPAL:** PO Box 24438, GPO, Kathmandu. **NIGÉRIA:** PMB 1090, Benin City 300001, Edo State. **NOVA CALEDÔNIA:** BP 1741, 98874 Pont des Français. **PAPUA-NOVA GUINÉ:** PO Box 636, Boroko, NCD 111. **PARAGUAI:** Casilla 482, 1209 Asunción. **PERU:** Apartado 18-1055, Lima 18. **POLÔNIA:** ul. Warszawska 14, 05-830 Nadarzyn. **PORTUGAL:** Apartado 91, P-2766-955 Estoril. **QUÊNIA:** PO Box 21290, Nairobi 00505. **QUIRGUISTÃO:** PO Box 80, 720080 Bishkek. **ROMÊNIA:** CP 132, OP 39, Bucureşti. **RUANDA:** BP 529, Kigali. **RÚSSIA:** PO Box 182, 190000 St. Petersburg. **SALOMÃO, ILHAS:** PO Box 166, Honiara. **SENEGAL:** BP 29896, 14523 Dakar. **SERRA LEOA:** PO Box 136, Freetown. **SÉRVIA:** PO Box 173, SRB 11080 Beograd/Zemun. **SRI LANKA:** 711 Station Road, Wattala 11300. **SURINAME:** PO Box 2914, Paramaribo. **TAILÂNDIA:** PO Box 7 Klongchan, Bangkok 10 240. **TAITI, POLINÉSIA FRANCESA:** BP 7715, 98719 Taravao. **TAIWAN:** No. 325 Shefu Road, Xinwu District, Taoyuan City 32746. **TRINIDAD E TOBAGO:** Lower Rapsey Street & Laxmi Lane, Curepe. **TURQUIA:** PO Box 23, Feriköy, 34378 İstanbul. **UCRÂNIA:** PO Box 955, 79491 Lviv - Briukhovychi. **UGANDA:** PO Box 4019, Kampala. **VENEZUELA:** Apartado 20.364, Caracas, DC 1020A. **ZÂMBIA:** PO Box 33459, 10101 Lusaka. **ZIMBÁBUE:** Private Bag WG-5001, Westgate.

www.jw.org